W9-CZN-549

Gilles Ruel

Un voyage inoubliable

Illustrations

Jocelyne Bouchard

Collection Œil-de-chat

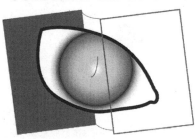

Éditions du Phœnix

© 2017 Éditions du Phœnix

Dépôt légal, 2017
Imprimé au Canada

Illustrations de la couverture : Jocelyne Bouchard
Graphisme : Hélène Meunier
Révision linguistique : François Landry

Éditions du Phœnix

206, rue Laurier
L'île Bizard (Montréal)
(Québec) Canada H9C 2W9
Tél : (514) 696-7381   Téléc.: (514) 696-7685
www.editionsduphœnix.com

**Catalogage avant publication de Bibliothèque et
Archives nationales du Québec et Bibliothèque et
Archives Canada**

Ruel, Gilles

  Un voyage inoubliable

  (Collection Œil-de-chat ; 75)
  Pour les jeunes de 9 à 12 ans.

  ISBN 978-2-924253-86-1

  I. Bouchard, Jocelyne, 1961-   . II. Titre. III. Collection :
Collection Oeil-de-chat ; 75.

PS8585.U492V69 2017   jC843'.6   C2017-940006-1
PS9585.U492V69 2017

SODEC
Québec 🔹🔹

Financé par le
gouvernement
du Canada | Canadä

Nous remercions la SODEC de l'aide accordée à notre programme de publication. Nous reconnaissons l'aide financière
du gouvernement du Canada par l'entremise du Fonds du livre
du Canada pour nos activités d'édition à notre programme de
publication.

Nous sollicitons également le Conseil des Arts du Canada.
Éditions du Phoenix bénéficie également du Programme de
crédit d'impôts pour l'édition de livres – Gestion SODEC – du
gouvernement du Québec.

Gilles Ruel

Un voyage inoubliable

Éditions du Phœnix

À ma chère Madison,
Que des vents favorables
te permettent de réaliser tes rêves.

Prologue

Mon nom est Émerick Cormier-Lambert. Dans moins d'un mois, j'aurai douze ans. Mes parents me disent grand pour mon âge, et je les crois, car depuis la maternelle, j'ai toujours été le plus costaud de ma classe. Mes amis me trouvent bon dans tous les sports et, lorsqu'une équipe se forme, je suis souvent le premier choisi. Comme j'ai de la facilité à apprendre, j'aime l'école, mais j'aime aussi beaucoup les vacances.

Ma mère se nomme Mélanie Cormier et elle est infirmière. Elle travaille dans un CSSS. Mon père est contremaître à l'usine Alcoa de Baie-Comeau et se prénomme Jacques. Un de ses rêves est de me voir jouer dans la Ligue nationale de hockey. Il me répète souvent que j'ai le potentiel, mais que cela ne suffit pas. Il faut aussi que je travaille fort si je veux y arriver.

Ma mère pense que le rêve de la Ligue nationale est un projet trop lointain et pense que le pee-wee que je suis devrait se concentrer un peu plus sur son avenir scolaire. Chaque mois, elle révise mon bulletin. Pour elle, le travail est un gage de réussite et elle me rappelle souvent que je dois mettre mes énergies dans toutes les matières et pas seulement dans celles que j'aime.

Contrairement à la plupart de mes amis, mis à part l'éducation physique, ce sont les cours de français que j'apprécie le plus. Je ne peux pas affirmer que je suis aussi habile avec les mots qu'avec une rondelle, mais parfois, il m'arrive de souhaiter devenir écrivain. Mon enseignante actuelle, madame Lucie, m'a assuré plus d'une fois que j'en ai les aptitudes. Je garde ce secret pour moi, car je redoute les remarques de certains de mes amis.

Ces grandes vacances ne ressembleront pas aux précédentes : cet été, j'aurai la chance d'aller passer quelques jours sur le bateau de mon oncle Pierre-André afin de pêcher le flétan du Groenland dans le golfe Saint-Laurent.

Mon oncle Pierre-André – presque tout le monde l'appelle P.A. – est le frère de maman. Il a pris la relève de mon grand-père lorsque celui-ci a cessé de pêcher. Bien qu'il soit au début de la trentaine, selon maman, c'est déjà un vieux loup de mer. Quand il nous rend visite, je passe des heures à l'écouter raconter ses aventures. Plus d'une fois, il nous a relaté les tempêtes qu'il a dû essuyer en exerçant son dur métier. Si nous en affrontons une pendant mon voyage, je ne sais trop comment je réagirai. Je me targue souvent de n'avoir peur de rien, mais avec des vagues dépassant les sept à huit mètres sur un bateau en faisant à peine treize, je ne peux pas prévoir ma réaction. Maman me rassure en me disant que je saurai m'en tirer, car comme tous les Cormier, j'ai de l'eau salée qui coule dans mes veines.

Ce sera la première fois que je ferai un vrai séjour en mer. J'ai déjà fait quelques sorties avec mon grand-père Cormier, mais nos escapades n'ont jamais duré plus d'une demi-journée.

J'ai tellement hâte de vivre cette aventure que j'en rêve presque toutes les nuits.

Chapitre 1

Les grandes vacances

— Maman, je pars faire une petite virée au boisé Saint-Gilles.

— As-tu rangé ta chambre comme je te l'ai demandé ?

— Je le ferai sitôt revenu.

— Émerick, tu me répètes la même chanson depuis une semaine, et je connais le résultat. Tu fais ta chambre et ensuite tu pourras y aller.

— C'est la mère de Yan qui fait le ménage chez lui.

— Et ici, c'est toi qui le fais. Assez discuté ! Plus tu argumentes, plus tu retardes ta balade.

Maman, elle est comme ça. Lorsqu'elle a une idée en tête, il est presque impossible de l'en faire changer. Je rouspète en me dirigeant vers ma chambre pour exécuter ma corvée :

— C'est bien parce que tu m'y obliges...

En moins de vingt minutes, la besogne est terminée. Après une brève inspection de ma mère, je prends enfin la route.

Je fais rarement ce trajet seul, car depuis que nous avons rangé nos patins, mon ami Yan et moi faisons fréquemment des excursions à bicyclette, et notre lieu de prédilection est le boisé Saint-Gilles. Aujourd'hui, il n'a pu venir.

À peine ai-je donné quelques coups de pédalier dans le sentier des Écureuils que j'aperçois une maman porc-épic et son petit. Je les ai effrayés, car sitôt mon vélo immobilisé, ils ont disparu dans le sous-bois. J'essaie de les suivre, mais c'est peine perdue. J'observe, j'écoute attentivement, mais plus rien. Ils se sont volatilisés. J'ai beau les chercher en furetant un peu partout, mais il semble que, pour aujourd'hui, ce soit inutile.

* * *

Le lendemain, pédalant à vive allure en compagnie de Yan, nous nous dirigeons vers le boisé afin de revisiter ce sentier

dans l'espoir de revoir les deux mammifères dont je lui ai parlé.

— C'est ici que je les ai vus.

— Tu en es certain ?

— Oui, ils se sont faufilés entre ces
arbres et lorsque j'ai essayé de les suivre,
ils s'étaient évanouis dans la nature.

— Allons voir si nous pouvons trouver
quelques traces de leur passage, suggère
Yan. C'est ce que nous faisons, mon père et
moi, lorsque nous chassons le lièvre avant
les neiges.

Fébrile à la pensée de retrouver ces
deux petites bêtes, je le suis et l'observe
de près.

Après de longues minutes d'un exa-
men attentif où chaque brindille et
chaque feuille retournée sont scrutées au
peigne fin, Yan commente :

— Je pense que les porcs-épics et les
lièvres ont des comportements bien différents. Avec les lièvres c'est facile, étant
donné qu'ils empruntent très souvent les
mêmes chemins. Du moins jusqu'à la
période des grands froids.

— C'est peut-être une façon de se cacher avant le temps de Fêtes... C'est bon du lièvre !

— Je ne le sais pas. Mais une chose est certaine : les porcs-épics sont beaucoup plus difficiles à capturer parce qu'ils ne suivent pas le même parcours.

Tout en pédalant lentement sur le chemin du retour, Yan s'informe si je sais quand je ferai mon fameux voyage.

— Maman m'a dit que mon oncle pêche actuellement dans les eaux avoisinant Terre-Neuve et elle ignore quand il reviendra.

— Irez-vous aussi loin ?

— J'en doute, je serai sur le bateau quelques jours seulement. Mais en pêchant dans le golfe, je pourrai déjà me vanter d'être allé jusqu'aux portes de l'océan.

— Tu en as de la chance ! Je ne sais pas ce que je donnerais pour être à ta place.

— Cesse de te plaindre, Yan Fortin. Pense au merveilleux voyage que tu feras sur les plages américaines en compagnie de ta charmante sœur.

— Tu es drôle comme ça ne se peut pas! Il faut que j'y aille : j'ai promis à ma mère de venir l'aider pour finaliser mes bagages.

— Nous gardons le contact par courriel?

— Sûr! Et tu m'informes lorsque tu auras la bonne nouvelle.

Lorsque nos chemins se séparent, je lui lance en badinant :

— Et toi, tu me parleras un peu de ta charmante sœur!

Chapitre 2

Le téléphone attendu

Il y a déjà huit jours que Yan est en voyage avec ses parents. Malgré la promesse que nous nous sommes faite de garder contact, je n'ai reçu que deux courriels depuis son départ. Moi, je lui écris chaque jour. Il doit être drôlement occupé, car ce n'est pas du tout son genre. Je suis déçu : j'étais persuadé de recevoir de ses nouvelles plus souvent. À peine arrivé à Old Orchard, son premier courriel mentionnait la beauté des plages, l'hôtel super *cool* choisi par ses parents de même que la piscine équipée d'un plongeon de deux mètres. Il m'a appris que le trajet n'avait pas été de tout repos : sa sœur ayant eu des nausées à peine passé Tadoussac, il avait dû faire la majeure partie du voyage coincé contre la portière puisqu'elle se disait moins souffrante si elle était allongée sur la banquette arrière.

Aujourd'hui, j'ai reçu un second courriel dans lequel il me raconte être allé dans un parc aquatique où il a vu des dauphins effectuer des prouesses spectaculaires. L'un de ces mammifères marins éxécutait un saut en franchissant trois cerceaux tenus par des personnes choisies au hasard dans l'assistance. Sachant combien il aime les dauphins, son père lui a offert une visite en compagnie d'une guide. Il a pu nourrir l'un de ces cétacés en lui lançant des poissons qu'il attrapait au vol. Il a même pu le toucher lorsque celui-ci s'est approché au bord du grand bassin. Pour lui, cette journée représente sûrement la plus belle de tout son voyage. Il me demande encore une fois si mon oncle m'a appelé, comme s'il ignorait qu'il serait le premier informé de la nouvelle. C'est drôle, il semble avoir tout aussi hâte que moi. De mon côté, je m'encourage en me disant que chaque jour qui passe me rapproche de cette extraordinaire aventure.

Cet après-midi, comme tous les jours, je fais du vélo. Pour la énième fois, je retourne au boisé, espérant revoir le petit porc-épic et sa maman. Une fois de plus, je fais chou blanc. Peut-être aurai-je plus de veine demain? Il est à peine trois heures quand je rentre à la maison. Comme il est encore tôt, je pratique mes lancers au panier. J'aimerais que l'entraîneur m'alloue un poste à l'avant, mais pour cela, il me faut améliorer cette facette de mon jeu. Comme mon père me le rappelle souvent : « Les meilleurs, dans tous les sports, sont ceux qui, entre les séances d'entraînement de l'équipe, passent le plus de temps sur le terrain. »

— Émerick, tu es demandé au téléphone.

— Qui est-ce? fais-je en regardant le ballon pénétrer dans le cerceau.

— Ton oncle Pierre-André.

— L'oncle P.A.!

Sans perdre une seconde, j'accours vers ma mère qui me tend le récepteur.

— Oncle P.A.! Comment ça va?

— Plutôt bien. Tu souhaites toujours faire cette excursion dans le golfe Saint-Laurent?

— J'en rêve depuis que tu m'en as parlé.

— Alors, tu as une semaine pour préparer tes affaires. Ta mère est d'accord pour venir te reconduire à Natashquan. Ils en profiteront, ton père et elle, pour y passer quelques jours de vacances pendant que nous serons au large.

— Combien de temps serons-nous en mer?

— Trois jours, si le temps est beau.

— Comment ça, si le temps est beau?

— En mer, comme partout ailleurs, il est difficile de prédire le temps qu'il fera dans une semaine ou dans dix jours. On ne sait jamais : une tempête peut nous obliger à ancrer le bateau dans une baie aux eaux plus calmes. Si nous avons à faire face à une telle éventualité, il est certain que nous serons au large un peu plus longtemps, afin de lever les filets.

— Il n'y a pas de problème pour moi. Ton bateau est équipé d'un radiotéléphone qui te permet de joindre qui tu veux quand tu veux, n'est-ce pas? Alors, tu n'aurais qu'à contacter mes parents afin qu'ils ne s'inquiètent pas trop.

— Tu penses vraiment à tout. Je te laisse là-dessus et on se voit bientôt.

Je bondis de joie. Enfin je le ferai, ce voyage! J'ai tellement hâte de naviguer en compagnie de ses hommes d'équipage!

— Vous allez venir me reconduire à Natashquan! dis-je à ma mère en lui sautant au cou.

— Nous savions que ton départ ne se ferait pas de Baie-Comeau: en cette période de l'année, Pierre-André pêche dans le golfe. Nous avions décidé, ton père et moi, d'en profiter pour prendre un peu de repos. Tu connais sa passion pour la pêche au saumon. Moi, je m'apporterai un bon livre.

— J'envoie un courriel à Yan. Je lui ai promis qu'il serait le premier à qui j'annoncerais la nouvelle. Il aimerait tellement, lui aussi, avoir un oncle capitaine d'un bateau de pêche. C'est sûr: il va sauter de joie!

— Tu as raison de te réjouir, admet-elle en souriant. Tous les garçons n'ont pas cette chance.

— Vas-tu appeler papa afin de le prévenir?

— Comme il rentrera dans une petite heure, cela peut attendre. Tu le lui annonceras toi-même. Continue de pratiquer tes paniers, tu fais des progrès.

— J'écris d'abord à Yan.

— Si tu démontrais la même ardeur pour tes devoirs, tu serais, sans l'ombre d'un doute, l'enfant que tout parent aimerait avoir.

Je lui réponds en me dirigeant vers mon ordinateur :

— Maman, jamais je ne ferai ça ! J'aurais bien trop peur de me retrouver victime d'un enlèvement.

Chapitre 3

Un souper
fort intéressant

À peine l'auto de mon père immobilisée, je me précipite vers lui.

— Papa! L'oncle P.A. a appelé! Mon excursion sur son bateau, c'est la semaine prochaine!

— Parle-moi d'une bonne nouvelle! Quitte à vivre une expérience comme celle-là, je te souhaite des journées de bon vent. Tu verras : la mer, ce n'est pas comme nos lacs de pêche.

— Veux-tu dire que ce sera plus impressionnant que... Tu te souviens, au lac Papinachois? Les vagues entraient dans le canot.

— Ça mon gars, c'était de la petite bière!

Je le regarde, les yeux ronds comme des huards.

— Lorsque les vagues sont si imposantes qu'elle te donne l'impression de gravir des falaises puis de plonger dans un ravin, tu te sens bien loin des vaguelettes du Papinachois.

Mon père aime exagérer; je m'interroge... Veut-il juste me flanquer la trouille? Mon oncle m'a déjà raconté certaines tempêtes auxquelles il avait dû faire face, mais il n'a jamais été question de vagues aussi terribles. Sans dire un mot, j'attends la suite.

— Je me souviens d'un certain dimanche... Malgré de forts vents, ton grand-père avait décidé d'aller lever ses filets. Ce matin-là, il y avait des lames comme je n'en avais encore jamais vu.

— As-tu eu peur?

— Je n'en menais pas large dans mon ciré de marin et très petit devant ces vagues de six ou sept mètres. Malgré la confiance que j'avais en mon beau-père, je souhaitais qu'il rentre au quai.

— L'oncle P.A. soutient que lorsque la mer est aussi démontée, il est impossible de relever les filets. Est-il moins bon pêcheur que l'était grand-père ?

— Non, nous non plus n'avons pu remonter les filets, cette journée là. Cette sortie s'est finalement résumée à une balade en mer qui restera gravée pour toujours dans ma mémoire.

— Pouvez-vous venir discuter à l'intérieur ? lance maman depuis l'embrasure de la porte. Le souper est servi.

— On arrive tout de suite, dit mon père.

Assis à table, il rappelle à maman ce fameux dimanche où elle et sa mère se demandaient si elles allaient les revoir revenir du large.

— Ne m'en parle pas, mon chéri ! Je laisse partir Émerick avec Pierre-André parce que je le sais moins téméraire que papa. Te souviens-tu comme maman l'avait sermonné ?

— Grand-maman s'était fâchée contre grand-papa ?

— Elle n'était pas fâchée contre lui, mais contre ce qu'il avait fait. Elle fulminait, comprenant qu'il avait pris des risques inutiles. " Pourquoi sortir quand les vagues inondent le quai ? Que voulais-tu prouver et à qui ? martelait-elle. Tous les autres pêcheurs sont sagement restés chez eux. Mais toi, il fallait que tu montres que pas une tempête ne t'effraie. " Elle continuait et continuait, comme si elle évacuait ce qu'elle avait réfréné pendant toutes ces années où son mari avait bravé les pires tourmentes sans jamais tenir compte de ses conseils. Je n'avais encore jamais vu ma mère dans un tel état. Tous les convives étaient silencieux. Même papa, qui aimait répliquer à tout ce que maman avançait, demeurait bouche cousue. N'en pouvant plus de la voir incriminer papa, je lui avais doucement suggéré qu'il avait sans doute compris et que, sans le promettre, il songerait désormais à agir plus prudemment.

— Tu te rappelles, ajoute papa, des larmes coulaient sur ses joues. Après un moment, elle les avait essuyées avec le rebord de son tablier. Elle regardait ton père et, malgré sa colère, nous pouvions lire dans ses yeux tout l'amour qu'elle lui portait, lui qui lui avait si souvent chaviré le cœur.

— Si je m'en souviens… Un peu plus tard, sans doute sur les conseils de maman, il a vendu son bateau à Pierre-André qui en est devenu le capitaine. Depuis, de temps à autre, il l'accompagne pour « de p'tites virées au large », comme il dit.

— Ce souper est sûrement le plus houleux que nous ayons connu depuis que nous vivons ensemble, souligne papa en touchant la main de maman.

— Oui… Et après un long silence, papa, la voix remplie d'émotions avait demandé : " Quelqu'un veut du dessert ? " Maman a souri et, comme elle le faisait tout le temps, avait quitté la table pour nous servir un morceau de gâteau Reine-Élisabeth, l'un de mes desserts préférés.

— Pour en revenir au voyage du futur marin : ton frère a-t-il mentionné les choses dont aura besoin, Émerick ?

— Oui : un habit de pluie, de bonnes bottes antidérapantes et des vêtements chauds, car même en juillet, à ce qu'il m'a dit, le golfe est froid.

— Est-ce que je peux apporter ma canne à pêche ?

— Pourquoi pas? convient papa. Vous aurez peut-être un peu de temps pour pêcher le maquereau.

— Tu peux l'apporter, mais j'ai quelques doutes sur le temps que tu auras à consacrer à la pêche à la ligne.

— Ça ne coûte rien de l'avoir dans mes bagages et je ferai comme tu as suggéré : je verrai avec mon oncle.

— Si tu n'en as pas l'occasion en haute mer, nous nous reprendrons à ton retour. Il y a certainement plusieurs quais qui n'attendent que nous.

— Combien de fois m'as-tu dit que le quai de Godbout était l'endroit idéal pour pêcher le maquereau? Nous pourrions nous y arrêter en rentrant de là-bas ou même y aller lors de tes congés?

— C'est une excellente suggestion. Pourquoi n'y ai-je jamais pensé?

— Sans doute parce que ce village est trop près de la maison! Les poissons sont tellement plus gros lorsque la destination est lointaine, souligne maman avec un large sourire.

— Tu as raison, ma chérie, mais pour la pêche sur les quais qui longent le fleuve, c'est tout à fait différent. Ce sont les poissons qui viennent aux pêcheurs. Tous les trois, nous le savons : le grand fleuve se jette dans l'océan et même si le quai n'est qu'à quelques kilomètres de notre demeure, le poisson peut venir de très loin, pour ne pas dire de l'autre bout du monde.

Maman hoche la tête :

— Maintenant, je comprends mieux pourquoi vous devez aller si loin pour vos voyages de pêche à la truite.

— Elle est forte, ta mère ! Pas surprenant que tu sois un garçon aussi allumé, lance mon père en m'adressant un clin d'œil.

— Et les maquereaux que nous pêcherons, viendront-ils d'aussi loin que de l'autre bout du monde ?

— Difficile à dire. Ils peuvent provenir des eaux des Îles-de-la-Madeleine, de Terre-Neuve, de l'archipel des Shetlands au nord de l'Écosse ou même de l'Islande !

— Vraiment ?

— Sérieux comme un pape, comme le dit ta grand-mère. Si tu as des doutes, effectue une recherche sur Internet concernant la migration du maquereau. Tu verras.

— Et cela te donnera une excellente occasion d'apprendre une foule de choses, ajoute maman en débarrassant la table.

— Je sais, mais ne trouves-tu pas que papa m'en apprend déjà beaucoup?

— Ta mère a raison. Si tu fais toi-même les recherches, tu trouveras davantage d'informations et, en plus, tu les retiendras beaucoup plus longtemps.

— Je croirais entendre madame Josée. Me voyez-vous savant? Très peu pour moi. Je détesterais être traité de bollé, de grosse tête ou de petite lumière. Non merci! Je ne veux surtout pas de toutes ces épithètes dont on affuble les premiers de classe.

— Ne t'inquiète pas, me rassure ma mère : le savoir n'est pas un sport extrême. Ça ne va pas te frapper aussi brutalement que certains joueurs d'une équipe adverse. Tu verras, ça s'acquiert lentement, très lentement même! Et lorsque tu croiras t'en approcher, tu constateras que tu ne connais pas grand-chose.

— Ne pourrait-on pas en revenir à la pêche? C'est de cela que nous parlions, il me semble.

— Effectivement. Tu verras, le maquereau est un poisson hyper combatif, mais pour en connaître les causes, tu devras faire quelques recherches en ligne.

— Là, tu me donnes une bonne raison d'aller naviguer... Je veux devenir un pêcheur efficace, il faut que je connaisse ses mœurs. Je suis peut-être un futur spécialiste de la pêche au maquereau, dis-je en gagnant ma chambre.

Du coin de l'œil, je vois ma mère sourire et j'en déduis qu'elle en serait bien heureuse. Restée seule avec mon père, elle lui demande :

— Demain, profiterais-tu de ton congé pour aller avec Émerick lui acheter un ciré et des bottes? Comme tu as déjà une expérience de la haute mer, tu sais mieux que moi ce dont il a besoin.

— Cela nous donnera l'occasion de faire une sortie entre hommes.

— Je suis certaine qu'il appréciera.

Chapitre 4

Quelques achats nécessaires

À peine sept heures. Impatiemment, j'attends que mon père se lève.

— Va-t-il bientôt se réveiller?

— Émerick, répond maman, tu sais que ton père aime faire la grasse matinée à sa première journée de congé. Laissons-le dormir un peu.

— J'espère qu'il n'a pas oublié que nous devons magasiner.

— As-tu vu l'heure? Pas une seule boutique n'ouvre ses portes avant neuf heures trente. Alors, prends une grande respiration et, ton déjeuner terminé, va faire un peu de vélo.

— Où veux-tu que j'aille?

— N'y a-t-il pas une maman porc-épic et son petit que tu aimerais revoir? Je ne suis sans doute pas aussi ferrée que toi en sciences naturelles, mais il me semble que l'heure serait propice.

— C'est génial comme idée! Papa pourra dormir, toi t'en aller à ton travail et moi, je retrouverai peut-être ces petites bêtes. Si tu me prêtais ton téléphone intelligent, je pourrais même les immortaliser!

— Prends tout de même le temps de manger tes rôties et de boire ton jus.

— Tu laisseras une note à papa afin qu'il sache où je suis. Il me faudra possiblement beaucoup de patience avant de réussir une photo, si j'ai la chance de les apercevoir.

— Ne t'inquiète pas.

Mon déjeuner avalé, j'enfourche ma bécane, cellulaire en poche, et me revoici en quête de ces deux porcs-épics.

Parfois ma mère m'exaspère, mais elle a souvent de bonnes idées.

Tout en pédalant, je pense à la tête que fera Yan si je réussis mon exploit. Il est meilleur que moi dans la science de la trappe. Après plusieurs essais infructueux, quelque chose me dit qu'ils seront enfin au rendez-vous.

Chaque fois que je suis revenu sur les lieux, j'ai emprunté le sentier des Écureuils. Ce matin, je décide de changer mon parcours. Peut-être ont-ils déménagé leurs pénates, me dis-je. Après quelque deux cents mètres, alors que je roule sur l'allée principale, j'aperçois un porc-épic. Est-ce celui que j'ai vu avec sa mère ? Je l'ignore mais, ne voulant pas rater ma chance, je m'arrête doucement et, dans un geste lent, je saisis mon appareil. L'animal est toujours là, immobile, au bord du sentier. Je ne vois que son derrière. Je prends tout de même une photo... Elle n'est vraiment pas terrible. C'est son museau que je veux voir.

Tout doucement, je dépose mon vélo au sol. Le petit n'a pas bougé. J'avance à pas de loup de l'autre côté du sentier, surveillant après chacune de mes foulées la réaction du bébé porc-épic. Je sens les battements de mon cœur contre mes tempes. Je retiens mon souffle. Il fait quelques pas. Je le regarde prendre ses distances. Clic ! Une seconde photo. Encore de dos ! Je suis à deux doigts de le perdre de vue. Voulant le prendre de vitesse, je fais trois enjambées. Effrayé, il s'engouffre dans les buissons. Tel un limier, je le talonne. Je sais qu'il est là, quelque part, à mes pieds, mais où ? Je reste figé, scrutant le sous-bois. Pas une seule herbe ne bouge. Lui aussi, j'en suis certain, est aux aguets. Je m'étais pourtant promis d'être plus patient. Je constate que c'était une erreur de forcer le pas, de le poursuivre sur son terrain. En me pressant, je l'ai peut-être apeuré pour de bon !

Plusieurs minutes s'écoulent : toujours rien. Des taillis bougent soudain sur ma gauche. Est-ce lui ? À moins que ce ne soit la mère... Une maman porc-épic peut-elle attaquer un humain afin de défendre son petit ? Je l'ignore, mais cela me paraît une raison de plus d'être prudent. Je reste figé comme une statue, à l'affût du moindre mouvement. S'il s'agit de la mère du petit, je crains un peu sa réaction, mais je me rassure en constatant qu'au moins cinq mètres nous séparent. Si elle devait foncer sur moi, je pourrai l'esquiver. Le temps s'est suspendu. Même les oiseaux se sont tus. Est-ce nécesaire de demeurer ici plus longtemps? Dois-je admettre qu'une fois de plus, la bête a été plus rusée que moi? Faisant un pas pour rebrousser chemin, je vois les branches d'un petit bouleau frémir sans raison. Mon pied s'immobilise à quelques centimètres du sol. Et je l'aperçois, grimpant à l'arbuste. Je le regarde tout en saisissant à nouveau mon cellulaire. Clic, clic! Cette fois, je le vois un peu mieux, mais ce n'est pas la photo qu'il me faut. J'attends qu'il ait gravi encore quelques branches pour prendre le risque de m'en approcher.

Une corneille juchée au faîte d'un énorme sapin commence à croasser. Je jurerais qu'elle me fait des remontrances, car dans son vacarme, elle me pointe du bec. Mon regard oscille entre elle et le petit qui semble ne faire aucun cas de cette intruse. Tout comme lui, je néglige la visiteuse. Je croque une nouvelle photo. Je vois sa frimousse, mais il est beaucoup trop loin. J'ose un pas et puis un autre. Il ne bouge toujours pas. Audacieux, j'en franchis deux autres. Je distingue ses yeux qu'il tient entrouverts. Clic, clic ! Les résultats s'améliorent. Une dernière tentative. Je suis à peine à deux mètres. Il commence à se déplacer. Vite, encore trois clichés. Oups ! Il se retourne et se laisse choir dans les broussailles pour disparaître de mon champ de vision. L'heure du retour a sonné. J'ai hâte de montrer les photos à mon père et de leur faire traverser la frontière américaine.

* * *

Je pédale à toute allure, tellement il me tarde d'expédier quelques photos à mon ami Yan. Comme j'arrive à la maison, j'aperçois mon père qui lave son camion.

— Salut papa !

— Tu es d'attaque pour le magasinage ?

— Pour préparer cette excursion, je suis prêt à beaucoup de choses.

— Alors, je termine cette corvée et nous y allons.

— Je contacte Yan et je suis prêt.

— Tu les as finalement revus ?

— Seulement le bébé. Tiens, lui dis-je en lui tendant l'appareil.

— On le voit à peine...

— Regarde-les toutes, j'en ai des meilleures !

Au fur et à mesure qu'il fait glisser les images sur l'appareil, son sourire s'élargit.

— Les dernières sont vraiment bonnes. Mais comment as-tu fait pour t'en approcher autant ? T'es-tu transformé en homme invisible ?

— Non, mais il m'a fallu beaucoup de patience et de stratégie.

— Je n'en doute pas un seul instant. Je range l'arrosoir et la chaudière et tu me racontes ça pendant que nous boirons un rafraîchissement. Nous partirons ensuite.

Assis à l'ombre, sous la véranda, je déguste un jus de fruits en lui relatant une à une les étapes m'ayant conduit à ce résultat. Mon père m'écoute attentivement. Je vois dans ses yeux qu'il est fier de moi.

— T'as vu l'heure ? Il approche midi ! Je t'invite à la cantine. Quoi de meilleur que quelques hot-dogs à la vapeur pour remplir un petit creux !

— Tu es vraiment un connaisseur !

* * *

Sitôt restaurés, nous quittons la cantine en direction d'une boutique qui, selon mon père, offre le summum des articles de plein air. Un homme qui pourrait facilement être mon grand-père nous accueille.

— En quoi puis-je vous être utile ? demande-t-il en s'adressant à mon père.

— Je cherche une bonne paire de bottes et un ciré pour ce jeune homme.

— Alors, fiston est amateur de pêche sportive ? reprend le vendeur.

— Aussi, mais aujourd'hui nous parlons de pêche en haute mer.

L'homme me regarde en me gratifiant d'un très large sourire.

— Comme ça, j'ai devant moi un futur marin ?

— Pour quelques jours seulement.

— Que ce soit pour un jour ou pour toujours, il faut penser sécurité ! Et croyez-moi : vous êtes au bon endroit !

— Et vous, bon vendeur, souligne papa.

— Un conseiller, monsieur ! Un conseiller. Il y a longtemps que les boutiques sérieuses comme la nôtre n'engagent plus de vendeurs. Nous sommes d'abord là pour guider le client et, si la chose est possible, nous concluons une vente. Croyez-moi, cela est très différent.

— Je n'en ai aucun doute, tranche mon accompagnateur. Alors, que nous suggérez-vous ?

— Le plus important pour tout marin, c'est d'avoir les pieds bien ancrés sur le pont. Une glissade près de la rambarde et hop, te voilà tenant compagnie aux poissons ! dit-il en me fixant droit dans les yeux.

J'ignore si ce monsieur veut m'impressionner, mais il réussit. J'en ai des frissons dans le dos.

— Il faut en effet être bien chaussé, ajoute papa.

— À qui le dites-vous ? Une paire de bottes, c'est comme les assises d'un édifice.

Quand un homme est solide sur ses pieds, il peut avoir la tête à son travail. Comme je le mentionnais, il n'y a pas une minute, les ponts sont glissants et... une chute en haute mer peut être fatale et...

— C'est pour ça que nous sommes ici, coupe mon père.

— Et dans quelles eaux vas-tu naviguer, fiston ?

— Dans le golfe Saint-Laurent, monsieur. Mon oncle est pêcheur professionnel.

— Un pêcheur de turbots, sans doute ? Tu en as de la chance ! Tu verras, ce sera une expérience inoubliable.

D'emblée, je pose la question :

— Vous avez déjà pratiqué la pêche dans le golfe ?

— Pas vraiment, mais c'est tout comme.

— Et ces bottes ? demande mon père, impatient.

— J'en ai une paire, ici. Le prix peut sembler élevé, mais elles pourront lui durer toute la vie.

— À condition, bien sûr, que je cesse de grandir, fais-je en regardant mon père.

— C'est un petit vite, votre gars, rouspète le conseiller, troquant subitement son sourire pour un air plus renfrogné.

— Admettez que vous avez un peu ouvert la porte... Proposez-moi quelque chose de sécuritaire et de pas trop cher.

Nous l'écoutons attentivement pendant qu'il nous fait l'éloge des différents types de semelles, toutes aussi performantes les unes que les autres. Pour mettre fin aux palabres du vendeur, papa choisit des bottes qui me couvrent le mollet et dont les semelles adhérentes répondent aux impératifs des ponts ruisselants d'embruns.

Le choix de la veste et de la culotte imperméables est réglé en moins de cinq minutes. J'enfile les deux pièces afin de vérifier si elles sont bien à ma taille. Je trouve la veste vraiment *cool*, car elle est orange vif avec des boutons-pression noirs. Sans avoir l'air d'un marin chevronné, j'ai tout de même fière allure.

— Équipé comme ça, mon gars, je suis certain que tu feras fureur, me confie notre conseiller.

— Nous payons aux caisses à l'avant ? s'informe papa.

— En effet. Donne-moi l'imperméable, fiston : je vous accompagne.

— Nos achats payés, papa me remet le sac contenant les vêtements imperméables et trimballe la boîte de bottes.

— Tout un vendeur ! dis-je à mon père en montant dans son camion.

— Un conseiller, me corrige-t-il en souriant. Mais comme le répète souvent ta mère : « Il faut toute sorte de monde pour faire un monde. » J'en retiens surtout que ce monsieur très courtois a fait beaucoup d'efforts pour nous répondre adéquatement. N'est-ce pas, fiston ? Rentrons, nous aurons le temps de faire un saut dans la piscine avant que ta mère ne revienne du centre de santé.

— J'ai hâte d'entendre ses commentaires lorsqu'elle verra nos achats.

— Elle sera ravie. Tu es bien équipé, voilà ce qui compte.

* * *

Je crois que jamais une semaine ne m'a parue si longue sans mon complice. Seul pour faire mes excursions au boisé Saint-Gilles, celles-ci perdent de leur saveur et me tentent de moins en moins. Une unique pensée occupe mon esprit : notre départ pour Natashquan dans deux jours.

Chapitre 5

Natashquan

— Allons-nous bientôt arriver ?

— Il reste tout au plus une heure, répond papa.

— Encore ! L'oncle P.A. doit déjà attendre au quai.

— Cela me surprendrait, ajoute maman. Le connaissant, il pêchera jusqu'à la dernière minute.

— Émerick, regarde cette rivière à notre gauche. Imagine un peu les belles prises que nous pourrions y faire.

— Peut-être, mais pour le moment, je ne pense qu'à poser le pied à Natashquan.

— Sais-tu que la route 138 est, depuis 2013, la plus longue route du Québec ? me demande maman, laquelle ne manque jamais une occasion d'accroître mes connaissances.

— Je l'ignorais, mais je suis certain que ça t'a fait plaisir de me l'apprendre.

— Cela me surprend que tu n'aies pas vu ça en classe, mais enfin... Avant cette date, la 138 se terminait à la rivière Natashquan. Peux-tu me dire pourquoi?

— Je ne parierais pas mon allocation là-dessus, mais je pense que c'est parce qu'il n'y avait pas de pont.

— Tu as tout à fait raison, confirme mon père, fier de ma réponse.

— Maintenant qu'il existe, poursuit ma mère, on a pu prolonger la route jusqu'au village de Kegaska.

— Et je gagerais mon meilleur leurre pour la truite que, si la route s'arrête là, c'est parce qu'il y a une rivière et pas encore de pont.

— Tu es perspicace, souligne maman. En effet...

— C'était plutôt facile à deviner...

— Si cela t'intéresse, lorsque tu seras de retour de la pêche, nous pourrions pousser jusqu'à Kegaska et prendre quelques clichés de la nouvelle signalisation marquant la fin de la route. Je suis convaincue que peu de tes amis ont été photographiés près de ce panneau routier.

— C'est vraiment une bonne idée ! Alors nous irons, conclut mon père.

* * *

Avant d'entrer dans le village de Natashquan, mon père bifurque vers le quai afin de voir si le bateau de mon oncle y est amarré. J'ai le visage long. Je comptais tellement sur sa présence. Maman étant, en toute situation, une personne optimiste, elle me rassure en me disant qu'il ne peut s'agir que d'un petit retard dû à la température.

— Pourquoi ne pas l'appeler ?

— Je gage que ta mère allait le faire dans la minute.

— Le temps de trouver son numéro, grommelle-t-elle en fouillant son sac à la recherche de son calepin.

— Et tu ne l'as pas mémorisé sur ton cellulaire ! la taquine papa.

— Mon téléphone est peut-être plus intelligent que moi.

— Moi, je parie qu'il est sur son bateau, blague mon père en me jetant un coup d'œil.

Elle parvient enfin à joindre mon oncle :

— Nous sommes à Natashquan. Nous pensions te retrouver au quai?

— J'y comptais bien, mais nous avons eu un bris mécanique. La mer étant belle, nous avons pu faire la réparation au large. Si tout va bien, nous serons là dans une dizaine d'heures. Demain, en matinée.

— Et Émerick? Quand veux-tu qu'il soit là?

— Pour ce détail, je te rappellerai. Certainement pas avant sept heures. Dis-lui d'en profiter pour faire la grasse matinée : à bord, il lui faudra se lever aux aurores.

— Je lui transmets le message. Nous nous voyons demain.

À en juger par ma mine réjouie, maman sait que j'ai tout entendu de l'aventure de l'oncle P.A.

— C'est une chance qu'il ait pu réparer son bateau. Après tout le chemin que nous venons de faire, cela aurait été catastrophique !

— Nous aurions survécu à ce contretemps. N'est-ce pas, Mélanie ?

— Parfaitement. Tu aurais sauté sur l'occasion pour initier Émerick à la pêche au saumon, dit-elle en lui volant un baiser.

C'est confirmé ! Je suis euphorique ! J'emprunte le téléphone de ma mère et j'envoie un texto à Yan. Il sera aussi énervé que moi, sans l'ombre d'un doute.

— Maman, si je te promettais d'y faire attention comme à la prunelle de mes yeux, me prêterais-tu ton portable pour la durée de mon voyage en mer ?

— Bien sûr, j'y avais même pensé. En plus de me donner des nouvelles de temps à autre, tu pourras prendre une foule de photos. Tu n'auras qu'à envoyer tes messages sur l'appareil de ton père.

— Si je trouve le temps... Il faut que je te dise : je ne me souviens pas avoir été aussi fébrile que maintenant.

— Tu perds la mémoire. As-tu oublié ta réaction lorsque ton père et moi t'avons annoncé que nous allions faire du parapente au mont Saint-Pierre ?

— Oui, mais je n'étais pas autant survolté, il me semble.

— Tu as raison, ma chérie : à n'en pas douter, notre garçon perd la mémoire.

— Si vous vous liguez tous les deux contre moi...

— Il faudra quand même que tu te détendes si tu veux passer une bonne nuit, comme l'a suggéré mon frère.

— Je vais essayer, mais je ne garantis rien.

— Ce serait recommandé, remarque papa en me regardant dans le rétroviseur. Tu verras : la vie d'apprenti pêcheur n'a rien d'une sinécure.

— Nous n'irons tout de même pas nous coucher tout de suite ?

— À moins que tu insistes, j'ai mieux à vous proposer. Que diriez-vous d'aller aux Galets ?

— Très bonne idée, approuve maman. Tu verras, Émerick, c'est vraiment un bel endroit.

— Il s'agit du plus important lieu historique de la région, renchérit-il : une presqu'île où se trouve une douzaine de bâtiments construits il y a près de cent cinquante ans. Ce sont des baraquements qui servaient autrefois à la préparation du poisson et à l'entretien des agrès de pêche. C'est là aussi que les marins salaient et séchaient la morue avant de l'embarquer sur des bateaux.

Mon père paraît tellement bien informé. Il serait inconvenant de manquer l'opportunité d'en apprendre un peu plus sur ce coin de pays et de perdre la chance d'entendre mon cher papa nous déballer son bagage de connaissances. Je dirais plutôt sacrilège ! Et pour ma mère, négliger une occasion de s'instruire... La fin du monde serait proche.

— Ma chérie, en période estivale, les guides nous racontent l'histoire des Galets bien mieux que moi. Mais avant, nous allons faire halte à l'Échourie, un petit café-bistrot très sympathique.

— S'ils offrent de la limonade, je suis partant !

— Même chose pour moi, opine maman. Connaissant les goûts raffinés de ton père, ils servent sûrement de la bière.

— En effet. Tu connais bien mes goûts, badine papa.

Après nous être désaltérés, nous suivons mon père et, tel qu'il l'avait anticipé, un guide féru du site nous expose toute l'histoire de ces bâtiments massés sur la presqu'île s'étirant devant le village de Natashquan.

Pendant mon voyage en mer, mes parents habiteront à l'Auberge de la Cache. De la fenêtre de la chambre, je peux voir la mer et les Galets. Pour cette nuit précédant mon départ, je dormirai dans la même pièce qu'eux.

Chapitre 6

Le jour tant attendu

Après l'installation à l'auberge, nous retournons à L'Échourie pour y souper. Nous ne sommes pas les seuls à opter pour ce restaurant. L'endroit est bondé et la placière nous informe que l'attente est d'une trentaine de minutes. Je n'ai pas le temps d'ouvrir la bouche pour contester que mon père, le sourire fendu jusqu'aux oreilles, informe la jeune femme que nous patienterons : elle inscrit son nom dans un carnet de réservations.

— Nous attendrons sur la terrasse, madame. Viens, Émerick !

— Je peux avoir des croustilles et une boisson ?

— Va pour la limonade, dit maman, mais oublie les croustilles, ça gâterait ton souper.

— On dirait que je n'ai rien mangé depuis deux jours tellement j'ai l'estomac dans les talons ! Je vais m'asseoir avant de m'affaler sur le plancher.

— Allez-y, je vous rejoins, le temps de commander un rafraîchissement pour notre futur marin.

Limonade en main, assis sur les marches de la terrasse, j'écoute papa nous refaire la visite des Galets en y ajoutant quelques détails que, semble-t-il, le guide aurait lui-même mentionnés s'il en avait eu le temps. Tout en l'écoutant, je jette de fréquents coups d'œil à la porte, espérant voir se pointer la placière.

Ce n'est pas parce que nous sommes enfin assis à une table que nous mangerons à l'instant. D'autres clients nous précèdent et attendent toujours leurs plats. La serveuse, après avoir noté ce que chacun de nous désire, nous exhorte à la patience : avec tout ce monde...

Mon père, que jamais rien ne dérange, s'empresse de la rassurer en lui disant que nous en sommes bien conscients et que ce petit délai rendra notre repas meilleur encore.

Elle sourit, s'éloigne et disparaît derrière des portes battantes.

— Tu vois? J'aurais pu bouffer un sac géant de croustilles et j'aurais eu le temps de le digérer.

— Tu sais comme je déteste ces réactions de bébé, me chuchote maman sur un ton ferme.

— Tu verras, Émerick, lorsque tu dégusteras tes fruits de mer, tu oublieras ton attente.

La faim me tenaille pendant un délai qui me paraît interminable. Sitôt servi, et bien que mes parents ne le soient pas encore, je commence à m'empiffrer.

— Vas-y mollo, me conseille maman. Personne ne te volera ton assiette.

— Je le sais, mais il faut absolument que j'avale quelque chose avant de m'évanouir!

— Ta mère a raison, renchérit papa. Donne à ton système la chance de constater que tu le nourris. Aimerais-tu que je te verse un peu de vin?

— Tu es sérieux ?

— En le coupant avec un peu d'eau, intervient aussitôt maman.

Ce détail ne me dérange pas. C'est la première fois que je boirai du vin. En y pensant bien, cela n'était pas si terrible d'attendre.

Notre repas se déroule dans une atmosphère joyeuse et je savoure chaque gorgée de mon vin que maman s'est fait un devoir de baptiser. J'ignore si c'est le vin ou les fruits de mer, mais en arrivant à notre chambre d'hôtel, je tiens à peine debout tant j'ai sommeil.

* * *

Les sifflements d'un vent rageur me réveillent en sursaut. Je me lève sans faire de bruit et je m'approche de la fenêtre sur la pointe des pieds. Le jour se lève tout juste, mais je peux voir la mer couverte de millions de moutons blancs. Et l'oncle P.A. qui est toujours au large. S'il était contraint de jeter l'ancre dans quelques baies, retenu par le vent et cette mer démontée ? Réussira-t-il à regagner le quai du village ?

C'est l'horreur dans ma tête. Mon rêve vole en éclats : nous ne pourrons pas partir comme prévu, j'en suis persuadé.

— Recouche-toi, murmure maman. Il est encore trop tôt pour nous lever.

— Je sais, mais entends-tu le vent ? Si tu voyais la mer : les vagues sont énormes.

— Pierre-André a le bateau qu'il faut pour les affronter. Cesse de t'inquiéter inutilement : il sera au rendez-vous.

— Je serai rassuré, uniquement lorsque je serai sur le bateau et que nous gagnerons le large.

— Je te comprends, mais pour le moment, il est l'heure de dormir.

À nouveau enroulé dans ma couverture, les yeux clos, j'essaie d'oublier le son des bourrasques et de chasser mes idées noires.

* * *

L'alarme de ma montre me tire des bras de Morphée. Le vent semble s'être calmé. Afin de m'en assurer, je cours à la fenêtre et je scrute le large. La mer est moins mauvaise qu'à l'aube.

— Papa ! Maman ! Debout !

— Pas déjà ! grogne papa. Donnez-moi cinq minutes...

— Pas une de plus, s'écrie maman depuis la salle de bain. Demain, tu dormiras au lieu d'aller pêcher le saumon.

Du coup, papa se retrouve assis. Il se frotte les yeux et s'étire longuement.

— Alors, c'est le grand jour, commente-t-il avec un long bâillement.

— Sûr que oui ! Il ne vente presque plus et il y a moins de houle.

— J'espère que tu n'as pas passé la nuit à surveiller la météo.

— Non, je ne me suis levé qu'une fois et maman m'a dit de retourner au lit.

— Tu as bien fait de l'écouter. Tu verras qu'une journée en...

— Je sais, tu me l'as expliqué hier. Juste de me tenir debout...

— Étant donné que tu t'en souviens parfaitement, je ne vais pas te le répéter. Je suis trop jeune pour commencer à radoter.

— Toi, radoter ? lance maman en sortant de la salle de bain. Il t'arrive de redire plusieurs fois la même chose, mais je suppose que c'est juste pour t'assurer que nous avons bien compris. N'est-ce pas, Émerick ?

Je réponds, sourire en coin :

— Disons que vous avez chacun votre spécialité.

— Qui prend sa douche en premier ? interroge papa.

— Ne voulais-tu pas dormir encore un peu ? demande maman.

— Ta remarque au sujet du sommeil que je pourrais reprendre demain m'a fait l'effet d'une chaudière d'eau froide en plein visage ! Et regarde ce soleil ! Il fait vraiment trop beau pour rester au lit. Comme vous ne dormez pas, je vais passer le premier. Je vous attendrai en contemplant la mer et en sirotant un café sous la véranda.

* * *

Attablé avec mes parents dans la salle à manger de l'auberge, j'attends les céréales, l'œuf et les deux rôties que maman a commandés pour moi.

— Ne sois pas aussi nerveux! Nous avons tout notre temps.

— Nous n'en avons pas tant que ça, mon oncle doit nous appeler à sept heures.

— Non, il a dit qu'il n'appellerait pas avant sept heures, corrige ma mère. Détends-toi. Ne mange pas si vite, ajoute-t-elle en me voyant dévorer mon déjeuner, je viens de te dire que nous avons tout notre temps.

Maman et ses conseils! Elle est aussi changeante que la température. Combien de fois me dit-elle de manger plus vite pour ne pas être en retard à l'école? Serait-elle aussi relax si c'était elle qui allait s'embarquer sous peu? J'attends fébrilement que le téléphone sonne. Déjà sept heures vingt-trois et il reste muet. Je me demande si mon oncle n'a pas eu un autre pépin.

— Tiens maman, prends ton appareil. Je préfère que ce soit toi qui répondes.

À peine ai-je terminé ma phrase que l'alarme musicale du portable retentit. Elle répond en me souriant :

— Bonjour Pierrot!

— Et puis, comment va mon jeune équipier ?

— Cette nuit, vers quatre heures, il était à la fenêtre et il surveillait les vagues.

— A-t-il encore le nez collé à la vitre ? demande-t-il en rigolant.

— Non, mais il regarde souvent sa montre.

— Il ne lui reste pas longtemps à attendre. Nous serons amarrés dans une vingtaine de minutes...

— Nous terminons notre déjeuner et nous serons là lorsque tu accosteras.

— Alors à plus tard !

— Comme ça, on y va ?

— On peut finir de manger ? demande maman. Bois ton jus pendant que nous terminons nos cafés. D'ici au quai, il y a tout au plus une dizaine de minutes.

Je vide mon verre d'un trait.

— Émerick ! dit maman sur un ton frôlant l'impatience.

— C'est parce que je voudrais le voir accoster.

— Nous y serons, assure papa. Tu as de la chance, c'est une journée magnifique pour une première vraie sortie en mer. Je suis certain que tu t'en souviendras toute ta vie.

* * *

Sitôt la voiture garée près du quai, je sors mon sac de voyage, mes bottes et mon imperméable. Levant les yeux, je vois mon oncle s'avancer vers nous, le teint hâlé et le sourire aussi large que le mien lorsque je reçois la première étoile après un match de hockey.

— Salut, la sœur ! lance-t-il en embrassant ma mère. Et toi, Jacques, j'ai eu vent que tu profiterais de l'escapade de ton fils pour aller taquiner le roi de nos eaux ?

— Je me suis réservé le concours d'un guide d'expérience. Je suis certain de capturer ces géants de la rivière Natashquan. Je peux même t'inviter à venir déguster une bonne darne, lorsque tu auras un peu de temps devant toi.

— Tu connais le dicton : il ne faut pas vendre la peau de l'ours...

— Si je connais ce dicton ? Ta sœur me le répète aussitôt que je deviens trop enthousiaste. Mais cette fois, impossible de faire chou blanc : c'est comme si le saumon était déjà dans la glacière.

— Avez-vous oublié Émerick au restaurant ? demande mon oncle en feignant ne pas m'avoir aperçu.

Je réplique dès que en lui tapant sur l'épaule :

— J'espère que tu as meilleur œil au large que sur la terre ferme ?

— Ah le sacripant ! Je ne l'avions point vu, comme disent les anciens. Comment vas-tu ? Mais tu as encore grandi ! C'est justement d'un gaillard comme toi dont j'ai besoin pour les prochains jours. Fernand, l'un de mes hommes, a pris congé ; il marie sa fille. Alors si tu le veux bien, tu seras son remplaçant.

— *Cool* ! Tu verras que j'apprends vite, oncle Pierre-André.

— Première chose, tu laisses tomber l'oncle Pierre-André. Tu m'appelleras P.A. ou capitaine, comme les autres. Je ne veux surtout pas que l'équipage se mette à m'appeler tonton.

— C'est comme tu le veux, tonton.

— Si tu as le malheur de répéter ce que tu viens de dire à bord, tu rentres à la nage, prévient-il en rigolant.

— *Le Faucon...* Mais tu as un nouveau bateau ! souligne mon père.

— Oui, et j'ai fait là une bonne acquisition. Il est plus long, plus solide et mieux équipé, explique mon oncle. Je suis allé le chercher à Saint John. Celui du père avait plus de quarante ans. Il faut dire les choses comme elles sont : il était désuet.

— Comment a-t-il pris ça, que tu échanges son bateau ? demande maman.

— Ce n'était plus son bateau, mais le mien, précise mon oncle.

— Je sais, mais cela a dû lui donner un choc quand tu lui as annoncé la nouvelle.

— Ça ne s'est pas fait du jour au lendemain. Tout en jasant, je lui ai expliqué qu'il me manquait certains instruments pour tirer mon épingle du jeu. C'est sûr qu'au début, il a un peu grincé : mais comme toujours, la mère est venue à ma rescousse et elle lui a fait comprendre que son ancien bateau avait fait son temps, qu'aujourd'hui la pêche était différente et qu'il était normal que je veuille moderniser mes équipements.

— Je comprends papa. Il a pêché pendant plus de trente ans avec son navire. Il lui a permis de nous nourrir, de subvenir à tous les besoins de sa famille. Pour lui, cette vieille coque avait une grande valeur sentimentale.

— Ouais, je ne peux pas dire le contraire : ça m'a fait un petit pincement au cœur de m'en départir. C'est sur ce bateau, avec le père, que j'ai fait mes apprentissages de la pêche en haute mer. Mais comme le dit souvent notre mère : « Quand il le faut, il le faut. »

Il fait une pause et regarde maman avec son beau sourire.

— Trêve de sentiments, fait-il en la serrant dans ses bras. Il faut que nous repartions, le large nous attend.

— Et le bris que tu as dû réparer dans le golfe ? Cela ne t'inquiète pas ?

— Pourquoi cela m'inquiéterait-il ? Comme tu viens de le dire : je l'ai réparé. Arrête de jouer à la mère poule. Ton petit, je te le ramènerai en un seul morceau et pas plus tard que dans quatre jours.

— Tu écoutes ton oncle, me rappelle ma mère.

— Je n'ai aucun doute là-dessus, tranche Pierre-André. Et s'il désobéit aux ordres, je l'attache au fond de la cale entre deux empilements de bacs de turbots, ajoute-t-il en me décochant un clin d'œil.

— Beurk ! Ce doit être vraiment dégueulasse. Sois sans crainte, maman, je ferai tout pour demeurer sur le pont.

— Bien répondu, moussaillon. Et tu verras, dit-il à sa sœur : à notre retour, tu auras peine à reconnaître ton gars. Il boira de la bière et connaîtra les jurons de tout matelot digne de ce nom.

Maman toise son frère avec l'air qu'elle arbore lorsque nous dépassons la mesure. Quant à mon père, fidèle à son habitude, il rigole de la situation.

Mon oncle agrippe mon sac et je lui emboîte le pas.

— Je compte sur toi pour m'informer de ce que j'aurai à faire, dis-je en forçant le pas afin de le suivre. Je ne veux surtout pas être un embarras sur ton bateau !

— Je ferai tout pour que tu te sentes utile. Il faut toujours commencer par le commencement, comme le dit souvent ton grand-père. Lorsque nous appareillerons, observe les manœuvres de mes deux équipiers. Tu verras, il n'y a rien là de bien compliqué.

— Tes hommes, ça ne les dérangera pas que je les surveille ?

— Sûr que non ! Eux aussi sont passés par là.

— Bien, capitaine.

À bord, je fais la connaissance de Marc et Yvan, les deux hommes qui travaillent avec mon oncle. Yvan est un gaillard de près d'un mètre quatre-vingt. Il a les cheveux longs attachés en queue de cheval. Il sourit et me tend la main pour me souhaiter la bienvenue. Marc, quant à lui, fait à peine quelques centimètres de plus que moi, mais il est aussi musclé que les lutteurs qu'on voit à la télévision. Lui aussi me serre la pince et dit espérer que je fasse le plus beau voyage de toute ma vie. Les présentations étant faites, ils se dirigent à bâbord afin de larguer les amarres, tandis que le capitaine met le moteur en marche.

Je reste quelques minutes à l'arrière du bateau et j'envoie la main à mes parents qui me rendent la pareille avant de remonter en voiture. Je me dirige alors vers la cabine de pilotage rejoindre celui qui ne veut pas être appelé tonton.

— Et puis, as-tu trouvé ça compliqué, les manœuvres du départ?

— Non, mais il faut dire que je n'ai fait que regarder.

— Lorsque nous rentrerons, tu accompagneras l'un de mes hommes et tu attacheras les cordages au bollard du quai.

— Super! Ça impressionnera mes parents!

— Je n'en doute pas une seconde. Chose importante : si tu as des questions, ne reste pas avec des points d'interrogation dans la tête. Demande et écoute attentivement les réponses.

— Je remplace vraiment l'un de tes hommes ?

— Oui, et je suis certain que tu en seras tout à fait capable.

— Et mon travail consistera en quoi exactement ?

— Nous en parlerons lorsque nous serons au large. Enfile vite tes bottes et ton ciré. Il faut toujours se méfier des embruns qui s'amusent à mouiller le pont.

Chapitre 7

La haute mer

Mon oncle prend place dans la chaise de pilotage et se concentre à l'étude de ses instruments et de l'horizon. J'attends près de l'escalier qui descend à la cale, le poing refermé sur une barre transversale.

Marc et Yvan ont enroulé les cordages avec soin et les ont rangés près des poteaux de métal servant à amarrer le bateau. En passant près de moi, les deux marins m'invitent à descendre avec eux. Nous nous installons dans une petite salle de l'entrepont et Yvan, tout en préparant le café, m'en offre un. Je refuse, car je n'en ai encore jamais bu. Pendant que les deux hommes discutent, mon oncle vient nous rejoindre. Je le regarde, surpris.

— Ton bateau, qui le dirige?

Ses deux équipiers s'esclaffent. Mon oncle se contente de sourire.

— Le bateau est muni d'un système de pilotage automatique. Je programme une orientation et, tant qu'elle n'est pas modifiée, le bateau suit le trajet vers le point déterminé.

— Tu permets que je monte dans la cabine ? J'aimerais regarder la mer.

— Nous avons plus de cinq heures de route à faire avant de jeter les filets à l'eau. Installe-toi à la roue, si tu le veux.

— Bien, capitaine ! dis-je sur un ton enjoué.

En me levant, un vertige soudain m'oblige à m'agripper au rebord de la table. Sans que j'aie pu le prévoir, une crainte morbide m'envahit. Je ne suis plus certain de vouloir me rendre seul à la cabine. Assis, je n'avais pas pris conscience que *Le Faucon* était soumis au tangage. Je me rassois, toujours accroché à la table et j'adresse un pâle sourire à mon oncle.

— C'est l'effet du roulis, explique-t-il en me jetant un œil amical. Nous ne sommes pas sur la terre ferme. Pour éviter de te sentir trop étourdi, pense à te lever plus lentement. Tu verras, cela fera toute la différence. Dans quelques heures ou demain au plus tard, tu auras le pied marin comme nous trois.

— Je l'espère bien... Je ne veux pas passer le voyage cramponné à cette table...

— Ne t'en fais pas, Émerick, souligne Marc avec gentillesse. Nous avons tous connu ça.

— Montons au poste de commande, conseille mon oncle. J'en profiterai pour t'expliquer l'utilité de quelques instruments de navigation. En prime, de là-haut, tu pourras apprécier une mer comme tu n'en as jamais vu.

— Génial ! Mais laisse-moi une minute afin que mon cerveau se replace.

— Prends le temps qu'il faut. Quand tu seras paré, je serai ton homme, me lance-t-il entre deux gorgées de café.

J'ignore s'il le fait pour me sauver la face, mais une chose est certaine : il m'enlève une épine du pied. Toutefois, même s'il ne m'avait pas fait cette offre, je serais tout de même monté. Pas question que Marc et Yvan me prennent pour une poule mouillée. Suivant son conseil, je me lève plus lentement et, effectivement, l'effet du roulis me semble amoindri. Je vacille un peu, mais je parviens à garder mon équilibre.

— Suis-moi! Je n'aime pas laisser le navire sans surveillance. D'ailleurs il y a cette loi des petits bateaux que nous devons observer.

— Quelle loi?

— En mer, lorsque deux embarcations se rencontrent, c'est toujours la plus petite qui doit manœuvrer afin d'éviter une collision.

— C'est comme la loi du plus fort?

— Si tu veux, mais la vraie raison est qu'un paquebot peut avoir besoin d'un kilomètre pour changer de direction alors qu'un bateau comme le mien le fait sur quelques mètres. Comparativement à l'un de ces navires de gros tonnage, je peux pratiquement tourner sur une pièce de dix sous.

— Qu'adviendrait-il si l'un de ces cargos géants nous frôlait de trop près?

— À part nous emboutir ou nous faire chavirer, je ne vois pas vraiment ce qui pourrait nous arriver de grave, répond mon oncle sur un ton indifférent.

Ma gorge se noue :

— Nous faire chavirer ?

— Inutile de t'en faire. Pour tout dire, ces collisions ne sont pas chose fréquente. Au cours de toutes ces années de navigation, j'ai eu vent de deux chavirements : un bateau de pêche en face de Rimouski et un autre, pas loin d'ici, dans le golfe.

— Maman m'a dit que tu étais un modèle de prudence. C'est d'ailleurs pour cette raison que je suis sur ton bateau.

— Connaissant ma frangine, je te crois sur parole.

Assis sur un banc près de la chaise du capitaine, j'assiste à un spectacle saisissant : devant, à bâbord ou à tribord, tout autour de nous, je contemple la mer. Mon oncle avait raison : jamais je n'ai vu la mer sous cet angle. Les vagues sont beaucoup plus grosses que toutes celles que j'ai pu voir sur les lacs. Sans être effrayé, je les trouve impressionnantes. Le bateau semble jouer à les gravir et à les redescendre.

— Et puis ? me demande le capitaine. Que t'avais-je dit ?

— Mon ami Yan n'en reviendra pas. Des vagues de deux mètres ! Tu diriges tellement bien ton bateau qu'on dirait qu'il s'amuse.

— Je ne l'ai jamais vu comme ça, mais j'aime ta façon de le dire.

— Quelle taille les vagues atteignent-elles ?

— Quand elles dépassent cinq ou six mètres, nous nous réfugions dans un havre et nous laissons passer la tempête. Il ne sert à rien de prendre inutilement des risques. De toute façon, par ces temps de furie, il est impossible de tendre ou de lever les filets. Alors, pourquoi ne pas profiter de quelques heures de repos ? Tu sais, Émerick, le capitaine d'un navire est responsable des personnes à son bord. Je ne l'oublie jamais. Mon père m'a appris il y a longtemps qu'il fallait respecter la mer.

Elle nous nourrit, nous permet d'en vivre, mais il vaut mieux ne pas trop la défier. Lorsqu'elle se déchaîne, elle est capable de tout, même de nous envoyer par le fond.

Je l'écoute en silence. Rarement l'ai-je vu aussi sérieux. Il devrait venir à mon école : je suis certain qu'il intéresserait plusieurs de mes amis.

Nous nous taisons quelques instants, moi regardant la mer, et lui scrutant ses instruments.

— Peux-tu m'expliquer à quoi te servent ces appareils ?

— Aujourd'hui, chaque bateau est équipé d'une radio météo. Cet appareil est vital ; grâce à lui, nous recevons des informations vingt-quatre heures sur vingt-quatre. Il nous permet de connaître les humeurs de la mer une bonne douzaine heures à l'avance. Donc, lorsqu'une tempête s'annonce, nous en sommes avisés à temps pour ne pas être pris au dépourvu.

Toutefois, mon intérêt est soudainement retenu par un spectacle incroyable ; je lui coupe la parole :

— P.A. regarde ! Des baleines !

— Tu en verras tout au long de notre voyage.

— Est-ce que ce sont les mêmes qu'on voit à Franquelin, à Baie-Comeau ou à Tadoussac ?

— Ce sont les mêmes espèces.

— Pourquoi certaines baleines choisissent-elles de passer l'été dans le golfe alors que d'autres remontent le fleuve ?

— C'est du moins ce que disent plusieurs biologistes sans toutefois connaître les raisons qui motivent certains de ces mammifères à s'aventurer dans l'estuaire, tandis que d'autres demeurent aux environs.

Je passe une partie de l'avant-midi à discuter de choses et d'autres avec mon oncle, pendant que *Le Faucon* tient le cap en direction de la zone où les pêcheurs pourront commencer leur travail.

— Crois-tu que je pourrais les aider à mettre les filets à l'eau ?

— Pourquoi pas ? Ce n'est pas compliqué. Après quelques minutes d'observation et les précieux conseils de Marc, tu sauras te débrouiller lorsqu'il te cédera sa place.

— Tu verras, j'apprends vite.

— Va faire signe à Marc et Yvan que nous avons atteint notre point de pêche.

Il est à peine treize heures lorsque Marc lance à l'eau l'une des deux bouées surmontées d'un triangle en aluminium. Tout en s'exécutant, il m'explique que grâce à cette pièce de métal, le radar pourra nous guider jusqu'ici lorsque viendra le temps de lever les filets. Après avoir laissé le câble glisser dans sa paume, il jette une première ancre qui est, elle aussi, reliée à la première bouée par plus de trois cent cinquante mètres de cordages auxquels sont attachés les filets. Pendant ce temps, l'oncle P.A., installé au gouvernail, s'assure que *Le Faucon* garde le cap afin de faciliter notre travail.

— Tu vois comme c'est simple, me dit Marc. Tu n'as qu'à surveiller le bas du filet pour t'assurer que les plombs sont bien dégagés. Comme ça, tu t'assures d'une surface maximale de pêche.

— Oui, je crois que ça va aller, mais reste près de moi, au cas où...

— Sois sans inquiétude, je suis là. Et si tu as des problèmes, Yvan sera le premier à t'aider. Nous formons une équipe.

Sous l'œil vigilant de mon compagnon, je m'assure que les plombs ne s'emmêlent pas dans les filets avant de s'enfoncer dans la mer. En moins d'une demi-heure, nous avons laissé se dévider plusieurs filets maillants sur le rouleau arrière. Lorsque la seconde ancre est à l'eau, une autre bouée, semblable à la première, est balancée par-dessus bord.

— Sais-tu combien de mètres de filets sont maintenant à la mer ?

— Pas vraiment, car j'ignore combien mesure un filet et je ne suis pas certain non plus du nombre que nous avons mis à l'eau.

— Nous en avons largué seize et chacun fait cent mètres.

— Wow ! Cela veut dire qu'il y a plus d'un kilomètre et demi de filets qui attendent qu'un banc de turbots passe par là ?

— Tu es un rapide en calcul mental, me dit Marc en entendant ma réponse.

— Et tu ne crains pas que nous prenions tous les turbots qu'il y a dans le golfe?

— Le golfe est grand, lance P.A. qui, de la cabine de pilotage, a suivi notre conversation. Si un banc de poissons se hasarde dans le secteur, nous ferons une pêche intéressante. Mais c'est loin d'être acquis. Trop souvent, nous rentrons avec une dizaine de bacs de poissons, ce qui paie à peine le mazout dépensé pour l'aller et le retour. Mais quelque chose me dit qu'avec toi à bord, nous aurons de la veine.

— Je le souhaite, car si je veux prendre de l'expérience comme aide-pêcheur, il me faudra bien quelques poissons à démailler.

— Tu as raison, mais en attendant notre prochain point de pêche, descends plutôt dans la salle de repos avec Yvan et Marc. Trouve-toi quelque chose à grignoter. Pour la montée des filets, il est sage de ne pas avoir l'estomac dans les talons.

— C'est vraiment fatigant?

— C'est préférable d'avoir des forces en réserve. Cette étape ne se boucle pas en quinze ou vingt minutes.

— Allez viens! insiste Marc qui me traite comme si j'étais son petit frère. Le capitaine a raison. Je te ferai des sandwichs dont tu me parleras longtemps.

— Si tu es le roi du sandwich, je te suis au pas de course.

— Tu prends un café? me demande Yvan.

J'hésite, même si je suis un peu transi : ma mère me dit trop jeune pour en boire. Cependant, pensant à mon père qui répète souvent qu'une fois n'est pas coutume, j'accepte l'offre, cette fois :

— Avec du lait et au moins deux sucres, s'il te plaît.

J'avale goulûment les deux sandwichs au jambon préparés par mon nouveau grand frère. Le ventre plein, et réchauffé par mon café, je suis prêt à poursuivre l'aventure.

— Mes hommes t'ont-ils nourri convenablement? demande P.A. en me voyant surgir de l'entrepont.

— Marc fait sûrement les meilleurs sandwichs au jambon de tous les bateaux de pêche qui sillonnent le golfe.

— Tu aperçois la bouée au loin à tribord ?

— Oui, capitaine.

— Eh bien, ce sont des filets à relever. Comme tu t'es bien débrouillé pour la descente, cette fois tu feras tes premières armes pour leur remontée.

Je ne demande pas mieux. Je me tiens debout sur le pont, souriant à mes deux compagnons, fier de ce que vient de m'annoncer mon oncle.

J'ai vraiment hâte de décrocher mes premiers turbots !

Chapitre 8

La baie de l'Ours

Après quelques heures à bord du Faucon, je suis habitué aux mouvements de la houle; je peux arpenter le pont en prenant bien mon temps.

En arrivant près de la bouée, je constate que le vent s'est accru et que les vagues se sont gonflées. L'une d'elles frappe *Le Faucon* à bâbord et j'ai tout juste le temps de saisir la rampe près de laquelle je me trouve. Je maintiens ma prise et j'attends la suite, à présent incertain de pouvoir être utile pour la montée des filets.

Le vent rend la mer de plus en plus agitée. Appuyé contre la cabine de pilotage, j'observe Marc et Yvan qui, malgré les secousses, démaillent avec adresse les turbots et rejettent à la mer tout ce qui est autre.

— Émerick, viens me rejoindre !

Je ne demande pas mieux. Je me sentirai un peu plus en sécurité dans la cabine.

— Assieds-toi près de moi. Tu pourras voir de quelle manière mon bateau se défend dans la vague.

— Tes hommes ont-ils des ventouses sous leurs bottes pour tenir sur le pont comme ils le font?

— Ils ont quelques années d'expérience...

— Je trouve dommage de ne pas pouvoir les aider.

— Lorsque le vent se sera calmé, tu auras l'occasion de participer. Mais par ce temps, il serait téméraire de te laisser travailler sur le pont. Rappelle-toi que j'ai promis à ta mère de te ramener sain et sauf.

— D'accord, je vais sagement rester avec toi. Ai-je raison de penser que la mer est grosse?

— Oui, mais comme nous avons cent mètres d'eau sous nos pieds, il n'y a pas de danger.

— Je ne vois pas le rapport.

— Regarde ces vagues comme elles sont longues. Je n'ai qu'à maintenir le bateau dans l'angle requis et je suis certain de rester à flot. Au contraire, en zones de hauts-fonds, elles sont cassantes et beaucoup plus dangereuses. Les naufrages ont lieu dans ces secteurs, la plupart du temps.

— Crois-tu que le vent va bientôt tomber?

— Je crains que non : le poste météo nous prédit des rafales encore plus violentes au cours de la nuit prochaine.

— Donc la mer sera encore plus mauvaise?

— Dès le dernier filet remonté, je mets le cap sur la baie de l'Ours. Je parie que nous ne serons pas les seuls à nous y réfugier.

— Tu ne remettras pas les filets à l'eau?

— Si les prévisions sont justes, nous avons avantage à aller nous protéger au plus tôt. Comme je te le disais ce matin, je ne prends pas de risques inutiles. Moi le premier, je tiens à ce que ma carrière de pêcheur dure encore longtemps, conclut-il en me souriant.

— Tes hommes en ont encore pour longtemps?

— Si je me fie aux filets déjà embobinés sur le rouleau principal, peut-être une demi-heure.

Comme me l'avait mentionné mon oncle, sitôt la deuxième bouée à bord, et pendant que ses aides entreposent les turbots dans la cale après les avoir éviscérés, nous faisons route vers la baie de l'Ours.

À certains moments, les lames viennent rincer le pont du navire. P.A. me regarde alors avec un sourire réconfortant. Au lieu de me faire du cinéma qui tournerait à l'horreur, je prends quelques photos avec le cellulaire que maman m'a si gentiment prêté et je pense à la tête que fera mon ami Yan lorsque je les lui montrerai.

Marc et Yvan ayant terminé de ranger le turbot dans la cale, je suis invité à descendre casser la croûte avec eux. Marc, le cuisinier en chef, a décidé que nous mangerions du turbot poêlé, une autre de ses spécialités.

— P.A. ne vient pas manger avec nous ?

— Par gros temps, il préfère être au poste de pilotage. Je lui monterai son assiette.

— Si tu le veux, je peux le faire à ta place...

— Il vaut mieux que tu restes en bas. Avec ce mauvais temps, le bateau n'est pas à l'abri d'une vague de côté dont les effets peuvent être surprenants. Imagine, s'il fallait que tu te blesses avant d'avoir démaillé ton premier turbot...

— Ce serait catastrophique ! Sans compter la tête que ferait maman en me voyant revenir éclopé de mon expédition.

— Et puis, ce poisson ? Ça s'en vient ? Je suis certain que le patron a l'estomac dans les talons.

— On se calme ! J'ai tranché les filets et les premiers cuisent déjà. Monte la table plutôt que de m'asticoter. Ça te fera passer le temps.

Je suis surpris de la réaction de Marc. Je pensais qu'il prenait bien les taquineries. Il faut dire qu'à ses chaudrons, il se considère vraiment comme le chef.

Yvan m'adresse un clin d'œil et il obéit à son ami.

Les premiers filets sont pour le capitaine. En quelques enjambées, Yvan se rend à la cabine de pilotage et revient profiter des talents de notre maître queux.

Assis près de moï, il attend, fourchette à la main. Il accueille Marc avec le sourire lorsque celui-ci s'approche avec une assiette garnie de beaux filets dorés.

— Tu t'es surpassé. Finalement, ça valait la peine d'attendre...

Je suis bien d'accord avec Yvan, même si ça fait à peine deux deux minutes que nous sommes attablés. Pendant un court moment, j'oublie le tangage et je déguste les turbots passés directement de la mer au poêlon.

Sitôt ma dernière bouchée avalée, tombant de sommeil, j'informe mes équipiers que j'ai rendez-vous avec mon oreiller. Sachant que *Le Faucon* est en direction de la baie de l'Ours — appelée Bear's Bay sur les cartes maritimes — je suis certain que demain matin, à mon réveil, nous nous bercerons sur des eaux moins agitées. Une chose cependant me chagrine : cette tempête retarde ma première levée des filets.

* * *

Malgré le gros temps, j'ai dormi comme un loir. À peine éveillé, assis sur ma couchette, je prends le temps d'évaluer si le roulis a diminué. *Le Faucon* semble beaucoup moins ballotté. Je regarde autour de moi : je suis seul dans la chambrette. Suivant les conseils de mon oncle, je me redresse lentement. Me sentant très à l'aise, je monte sur le pont. Yvan et Marc accompagnent le capitaine dans la cabine de pilotage.

Déjà cinq autres bateaux sont à l'ancre.

— Connais-tu le capitaine de chacun d'eux ?

— Oui, et je peux te dire que le vieux rafiot un peu en retrait là-bas, *L'Oiseau Moqueur*, est celui du capitaine Teach. Il prétend être le descendant de Barbe-Noire.

— Le fameux pirate ?

— C'est du moins ce qu'il affirme.

Les yeux écarquillés, je rêve soudain de rencontrer cet homme dont l'aïeul est peut-être le célèbre flibustier.

— Crois-tu qu'il serait possible de lui rendre visite ?

— Si cela t'intéresse, je me ferai un plaisir de mettre la chaloupe à l'eau et de te le présenter.

— Et qui sait, peut-être acceptera-t-il de me parler de son ancêtre ?

— Il aime tellement le faire, qu'il sera difficile de l'en empêcher.

— Tu es sérieux ?

— Ô que oui ! Tu sauras me le dire après notre visite.

— Et quand irons-nous le rencontrer ? J'ai vraiment hâte.

— Tu verras. Le capitaine Teach est tout un personnage...

Je mange les rôties et les deux œufs tournés que Marc vient de me servir. Comme mon oncle est moins excité par la perspective de cette rencontre, il prend, lui, tout son temps.

— Crois-tu qu'il y a du poisson dans cette baie ?

— Partout où il y a de l'eau, il peut y en avoir.

— Ça, c'est une réponse comme m'en fait papa. Depuis que tu viens par ici, tu dois sûrement savoir si ça mord dans le coin.

— Le meilleur moyen de le savoir, c'est de prendre une canne à pêche et de passer quelque temps à laisser traîner ton leurre.

— Tu ne veux vraiment pas me répondre !

— Il me semble pourtant t'avoir répondu correctement. Si tu m'avais demandé s'il y a du turbot dans la cale, je t'aurais dit oui et j'aurais même précisé le nombre de bacs que nous avons en stock. En ce qui a trait aux ressources de cette baie, je ne peux vraiment rien te certifier.

— Tu es bien le frère de ma mère. Elle aussi sait quoi dire lorsqu'elle ne veut pas répondre.

— Il y a des cannes dans la cabine de pilotage, poursuit-il. Si cela te tente, elles sont dans le coffre, à droite, en rentrant.

— Et notre visite au bateau de monsieur Teach ?

— Nous avons tout notre temps, il mouille jusqu'à demain, comme nous.

Ma hâte m'a momentanément fait oublier que, pendant que nous dormions, mon oncle a passé la nuit au gouvernail. Normal qu'il veuille se reposer avant d'aller me présenter son ami. Le laissant à son lunch, je me dirige vers l'escalier menant au pont.

— Si tu veux, je viens avec toi, me dit Marc en plaçant son assiette dans l'évier. Je vais te tailler quelques morceaux de hareng frais pour tes appâts.

— Génial ! Tu pourrais même pêcher avec moi...

— Je te remercie, mais avec toutes les heures que j'y consacre, je préfère profiter de ma journée de repos.

— Comme tu veux...

— Dans le coffre de la cabine de pilotage, je trouve une canne presque identique à celle que j'ai oubliée dans l'auto de papa. Légère et maniable, elle me permettra sûrement d'effectuer de bons lancers. Moi qui voulais pêcher à la ligne pendant mon voyage en mer, je suis comblé !

Revenu sur le pont, je montre à mon ami Marc la canne que j'ai choisie.

— La préférée du capitaine, souligne-t-il.

— C'est peut-être bon signe ! fais-je en appâtant mon hameçon.

Je multiplie les lancers, autant à bâbord qu'à tribord pendant une quinzaine de minutes, sans avoir senti la moindre touche. La pêche étant la pêche, j'use de patience... Un poisson s'empare enfin de la proie offerte. Je tourne la manivelle de mon moulinet le plus rapidement possible, mais l'animal que j'ai ferré est si vigoureux qu'il tire plus de ligne que j'en récupère.

— Vérifie la tension : elle est peut-être un peu lâche, me suggère mon compagnon.

— Tu as sûrement raison, dis-je en tournant légèrement la roulette prévue à cet effet.

— C'est probablement un maquereau, un poisson très combatif.

— C'est ce que m'a dit mon père.

— Et sais-tu pourquoi ?

— Parce qu'il doit toujours nager pour ne pas couler à pic. Il n'a pas de vessie natatoire.

— C'est tout à fait ça. Pour un garçon de ton âge, tu connais le sujet !

— Moins que toi, mais j'ai encore le temps d'apprendre...

Tout en bavardant, je ramène mon premier poisson après une belle lutte et, comme l'avait deviné Marc, c'est un maquereau.

— Tu sais sans doute aussi que ce poisson nage en bancs et qu'en conséquence, il n'est pas rare d'en prendre plus d'un au même endroit.

Mon ami a raison, car sitôt sa phrase prononcée, un autre maquereau attaque mon leurre. Et j'en ai la confirmation lors de mes lancers subséquents : en moins d'une heure, je franchis le cap de la douzaine de captures. Mon père devra admettre que je suis tout un pêcheur.

Mais depuis un bon moment, c'est le calme plat. Nous retournons à la petite salle commune rejoindre Yvan et P.A.

— Tu en as pris dix-sept, me confirme Marc. Je vais en congeler, car je ne veux pas qu'ils soient au menu pour toute la durée du voyage.

— Si tu le veux bien, j'aimerais que tu prennes une photo de moi avec un maquereau dans chaque main.

— Bien sûr! Place-toi près du comptoir, juste à côté des poissons. Comme ça, quand tu raconteras ton exploit, personne ne pourra dire que tu exagères.

— Bonne idée! Tu penses vraiment à tout.

Après quelques clichés, mon compagnon me remet mon téléphone et retourne au produit de notre pêche.

— Les apprêtes-tu comme de la truite?

— Oui, mais je les découpe en petites darnes avant de les faire frire. Cependant, lorsque je suis chez moi, je me fais des pâtés aux maquereaux. C'est vraiment la recette que je préfère.

— Je me souviens en avoir mangé chez ma grand-mère Cormier. Je m'étais vraiment régalé. Mais je suis preneur pour les darnes.

— Monsieur en aura au souper de demain, dit-il en empruntant une voix cérémonieuse.

Chapitre 9

Le Capitaine Teach

En mettant le pied sur *L'Oiseau Moqueur*, je contiens à peine mon excitation. Vrai comme je suis là, je vais rencontrer le descendant d'un véritable pirate ! Le bateau du capitaine Teach est tout en bois. Il me semble encore plus ancien que celui que grand-père Cormier possédait. Le brouillard qui recouvre la baie de l'Ours, fait planer une atmosphère mystérieuse. L'homme qui nous accueille a une voix forte et doit faire deux mètres. Il porte une vareuse d'un rouge délavé et ses pantalons datent sûrement de la même époque. Une barbe en broussaille où dominent les poils gris couvre presque tout son visage. Il nous toise de ses yeux noirs très brillants et arbore un large sourire rehaussé de deux dents en or.

— Salut Teach ! dit P.A. en tendant la main.

Tout en répondant au geste de mon oncle, l'homme me jette un regard inquisiteur qui m'intimide.

— Et ce jeune moussaillon, c'est ce neveu dont tu m'as déjà parlé?

— En effet. J'ai le plaisir de te présenter Émerick, le fils de ma sœur, souligne P.A. sur un ton presque solennel.

— Sois le bienvenu sur mon bateau, moussaillon. Les gens de la famille de mes amis sont mes amis, conclut-il en me secouant la main.

Elle se perd dans la sienne! C'est la première fois que je vois une personne avec des paluches aussi imposantes.

— Et je gagerais une bonne bouteille que tu as insisté auprès de ton oncle pour venir me voir afin que je te parle de mon ancêtre?

— Euh... vous avez deviné juste, dis-je avec hésitation.

— Ne restons pas sur le pont. Ma cabine est beaucoup plus confortable et, sauf erreur, j'ai un petit fond de rhum qui ne demande qu'à être bu, propose-t-il en adressant un sourire à mon oncle.

— Difficile de refuser une invitation pareille, lance P.A. en m'indiquant de suivre le capitaine Teach.

À peine dans la cabine de notre hôte, celui-ci nous invite à prendre place autour d'une table usée par le temps, tout aussi vieille que le reste. Il sort une bouteille et trois verres. Je regarde P.A. qui se contente de me faire un clin d'œil.

— Tu dois trinquer avec nous, fait notre hôte en me tendant un verre à demi plein, car tous mes visiteurs ont fait honneur à mon rhum. Cette coutume est d'ailleurs une vieille tradition de la piraterie. Tu peux me croire. J'ai lu je ne sais trop où que Jean-David Naud, dit l'Olonnais, un pirate français d'une rare cruauté, avait jeté à la mer, après l'avoir transpercé de quelques coups de poignard, un invité qui avait refusé de boire avec lui.

En entendant la conclusion de sa petite histoire, mon sang se glace dans mes veines. Me ressaisissant et me sachant dans une ère moins barbare, j'ose :

— Vous n'iriez tout de même pas jusque-là, capitaine Teach ?

Ma boutade le fait éclater de rire.

— Il a de l'aplomb, ton neveu, dit-il en avisant P.A.

Je repousse mon verre en disant d'une voix assurée :

— Alors ce sera de l'eau. Mais pour ne pas trahir cette tradition centenaire, j'accepterai que vous y ajoutiez un nuage de votre excellent rhum.

— Crois-tu que dans un autre siècle, il aurait eu l'étoffe d'un flibustier ? demande P.A.

— Quelle que soit l'époque, il prendra sa place, répond Teach en accédant à ma requête. Maintenant, trinquons ! À la bonne vôtre !

Flatté par cette remarque, je lève mon verre et, imitant les deux hommes, j'enfile mon eau aromatisée et je le redépose bruyamment sur la table.

— On remet ça ? interroge le descendant du célèbre pirate.

— Merci pour moi, dis-je avec un sourire.

Teach, se levant, m'annonce d'une voix cordiale :

— J'ai un livre très ancien dans lequel il est question de mon ancêtre, Barbe Noire. Je te le prête à la condition que tu le manies avec précaution. Avec le temps, il est devenu fragile.

— Merci, capitaine Teach. J'en prendrai soin, n'ayez crainte.

Malgré ses manières un peu rustres, je le vois tirer d'un buffet un objet qu'il manipule avec délicatesse : c'est un livre comme je n'en ai encore jamais vu. Chaque page est faite de papier parchemin. La lettrine débutant chaque paragraphe est de couleur or. Maman, j'en suis certain, serait toute excitée de tenir dans ses mains un volume d'une telle rareté. Pendant que je feuillette cette merveille, l'oncle et le capitaine Teach discutent de la pêche qui se fait de plus en plus difficile, du prix du carburant qui ne cesse d'augmenter et des cours du turbot, dont la valeur est dérisoire cette année encore.

Je consulte ce fabuleux ouvrage depuis une dizaine de minutes quand je repère le nom de Teach, Edward Teach, alias Blackbeard. Voulant en apprendre davantage sur ce pirate, je lis ce qui suit :

« Lorsque Blackbeard, ce pirate sanguinaire, attaquait un navire ennemi après l'avoir canonné, il commandait l'abordage qui se faisait aux mousquets et aux armes blanches. Lorsque ses adversaires déposaient les armes, il n'avait aucune pitié pour les prisonniers. Après leur avoir fait nettoyer le pont et fait jeter à la mer tous les cadavres et les corps de leurs compagnons blessés, il offrait aux plus costauds de se joindre à son équipage. Ceux qui refusaient cette chance ainsi que ceux qui étaient jugés trop fluets étaient eux aussi jetés par-dessus bord. »

Cette lecture me sidère. Comment un homme pouvait-il être aussi barbare ?

Je suis distrait dans mes réflexions par P.A., qui m'annonce que je devrai poursuivre ma lecture lors d'une prochaine visite.

— Et puis, moussaillon, en sais-tu un peu plus sur mon ancêtre ?

— Oui. Je ne le croyais pas si cruel...

— Jeune homme, je peux me vanter d'être de sa race et j'en suis même très fier. Tu sais, il faut nous reporter dans le contexte de l'époque. Que pouvait-il faire de ces prisonniers ? Les garder sur son bateau, pour ensuite les débarquer quelque part ? Que penses-tu que ces hommes auraient fait une fois à terre ? me demande-t-il.

— Je crois que vous connaissez la réponse mieux que moi...

— Ils auraient couru aviser les soldats de sa position afin qu'on le capture. Même si ses méthodes étaient cruelles, il en allait de sa sécurité de se débarrasser de ces gens-là.

— Il aurait pu tout aussi bien les abandonner sur une île déserte.

— Je sais que des récits de piraterie relatent que certains procédaient ainsi. Quant à mon ancêtre, l'histoire est muette à ce sujet. Est-ce réellement parce qu'il n'a jamais usé de ce moyen ? Ça, nous ne le saurons jamais.

— C'est comme vous le dites : nous ne le saurons jamais.

— Mon aïeul, comme tous les autres flibustiers, avait mauvaise réputation. Ils s'attaquaient aux vaisseaux marchands et après avoir vaincu toute résistance, ils les pillaient avant de les saborder. Une part de leur histoire qui est moins connue, c'est qu'ils distribuaient une fraction de leur butin aux pauvres qui vivaient dans les villages longeant la mer. En retour, ceux-ci les avertissaient lorsqu'ils avaient vent que des navires bourrés de canons et de mercenaires à la solde d'un gouverneur ou d'un riche armateur étaient à leur poursuite.

— Ainsi, ils pouvaient fuir avant d'être pris.

— Oui, mais parfois, trop sûrs d'eux... As-tu eu le temps de lire comment est mort Blackbeard ?

— Non, mon oncle m'a interrompu avant que j'atteigne ce passage.

— Dis-moi, Cormier, grogne-t-il en s'adressant à P.A., me donnes-tu quelques minutes pour que je raconte à ce jeune

moussaillon comment Blackbeard a chère-
ment vendu sa peau?

— Fais donc! Je suis certain qu'Émerick veut t'entendre.

Le capitaine Teach verse du rhum à son
invité, remplit son verre, se racle la gorge,
me fixe un long moment et commence enfin:

— Il faut dire que l'année précédant sa
mort, en 1717, mon ancêtre Barbe Noire
était à la tête de trois cents hommes et de
quatre navires pirates. Il avait, au cours de
cette seule année, pillé plus d'une quaran-
taine de bateaux de toutes sortes. Il était
alors très recherché et sa tête avait été
mise à prix par un certain Alexander
Spotswood, gouverneur de la colonie de
Virginie. Pour arriver à ses fins, il avait fait
appel au lieutenant Maynard, comman-
dant d'une frégate de guerre britannique
dont j'oublie le nom.

Les coudes appuyés sur la table, j'écoute
le capitaine Teach et je ne le quitte pas des
yeux. Je ne veux surtout pas perdre une
seule de ces précieuses informations qui
me feront connaître le sort réservé au
célèbre flibustier.

— Ce lieutenant était un homme tenace et après plusieurs semaines de recherches, il découvrit finalement l'endroit où Barbe Noire avait jeté l'ancre.

Prenant le livre ancien devant moi, il l'ouvre, tourne quelques pages et le remettant sur la table, son doigt se pose sur une carte d'époque :

— C'est ici qu'était au mouillage le bateau de mon ancêtre : la baie d'Ocracoke. Le pirate avait été prévenu que Maynard savait où son bâtiment était ancré, mais pour une raison que nous ne connaîtrons jamais, il resta à cet endroit, faisant fi du danger qui le menaçait.

Le capitaine Teach prend une pause, sirote une gorgée de rhum et poursuit son récit :

— Ce qui devait arriver arriva. Au matin du vingt-deux novembre 1718, après avoir canonné le bateau de mon aïeul, Maynard et ses soldats se lancent à l'abordage. Un combat féroce s'ensuit. Les soldats de Maynard étant beaucoup plus nombreux, ils prennent vite l'avantage. Au plus fort de la bataille, mon ancêtre et Maynard se retrouvent face à face, chacun armé d'un sabre et de quelques pistolets. Tous deux dégainent et tirent en même temps. Blackbeard est touché, mais dans sa rage, sabre à la main, il se rue sur son adversaire. Les deux hommes s'affrontent alors dans une lutte sans merci. Sous les assauts violents de mon ancêtre, le sabre de Maynard se brise. Alors que le pirate fond sur lui pour lui asséner le coup fatal, un matelot le poignarde dans le dos. Vacillant, Barbe Noire, surmontant la douleur, continue à combattre courageusement en dépit de ses nombreuses blessures. C'est alors qu'un autre assaillant lui donne de nouveaux coups de couteau. Hurlant et fou de rage, Barbe Noire se défend de toutes ses forces. Mais on lui tire dessus, cherchant à l'achever, quand enfin Maynard le touche mortellement d'une décharge. Mon ancêtre s'écroule. Dans un suprême effort, il sort le dernier des six pistolets qu'il porte à sa poitrine et comme il s'apprête à faire feu, sa main retombe, inerte.

Il me regarde, l'œil triste. Je sais bien que cet homme était son ancêtre, qu'il lui voue une admiration sans bornes... Mais ce n'est pas moi qui lui dirai : « Ce pirate est mort comme il a vécu » ou, comme le répète ma mère : « Qui sème le vent récolte la tempête. »

Malgré toutes les émotions fortes ressenties sur ce rafiot, je suis emballé par cette rencontre. Je remercie le capitaine Teach de m'avoir permis de consulter ce beau livre et aussi d'avoir pris le temps de me raconter la fin tragique de son ancêtre. Je lui serre de nouveau la main, je rembarque dans la chaloupe qui nous ramène sur *Le Faucon*.

Chapitre 10

Josie la sirène

J'ai de la difficulté à garder les yeux ouverts. J'écoute P.A. relater les détails de la mort affreuse de Barbe Noire. Marc et Yvan écoutent avec intérêt.

— En réfléchissant à Teach, je n'ai pas de mal à croire que son ancêtre était un géant d'une force peu commune, dit Marc.

— Mais de là à encaisser tous ces coups de couteau et ces balles de pistolet avant de s'effondrer... Je pense que le bougre en a rajouté afin de rendre son histoire plus impressionnante, estime Yvan en jetant un coup d'œil à son équipier.

J'ajoute dans un long bâillement :

— Admets tout de même que c'est un beau récit.

— Teach t'a grugé de l'énergie, observe mon oncle.

— Sans doute, mais l'air marin y est sûrement pour quelque chose. Chaque fois que je vais à la pêche avec mon père, c'est pareil. Sitôt mon dessert enfilé, je tombe de sommeil.

— Je voulais te dire : la météo annonce des vents légers pour cette nuit. Il est donc possible que nous mettions le cap vers le large. Profite de la nuit pour refaire tes forces, car demain, il ne sera pas question que tu grelottes sur le pont, faute d'exercice.

— Raison de plus de ne pas laisser attendre ma couchette.

Je salue mes amis et je m'éclipse.

À peine ai-je posé la tête sur mon oreiller que je me retrouve dans les bras de Morphée, dieu des songes. J'ignore depuis combien de temps je dors lorsque je suis tiré du sommeil par la voix d'une femme qui m'interpelle :

— Eh, petit homme ! Réveille-toi : il y a urgence !

J'ouvre péniblement les yeux et, appuyé sur un coude, je tends l'oreille. Je distingue seulement les ronflements de mes deux acolytes. Bizarre. J'aurais pourtant juré qu'une personne tout près de moi m'avait parlé.

Les mouvements du Faucon m'indiquent que nous regagnons le large. Pelotonné sous ma couverture, je cherche à me rendormir. À peine ai-je fermé l'œil que cette voix étrange s'élève à nouveau :

— Allons, Émerick, réveille-toi !

— Laissez-moi ! Vous l'ignorez sans doute, mais j'ai une sacrée journée devant moi.

— Lève-toi ! Je te le répète : il y a urgence ! Cours aviser le capitaine qu'une tortue géante s'est empêtrée dans la corde de la première bouée.

— Une tortue géante ? Mais qui êtes-vous donc ?

— Je suis Josie, la sirène protectrice de la faune aquatique.

— Une sirène qui protège le monde marin ! Laissez-moi rire... J'ai lu tout à fait le contraire dans mon encyclopédie. Comme toutes vos semblables, vous êtes l'une de ces fourbes qui, depuis la nuit des temps, tendez des pièges aux marins. Vos chants les attirent tout droit sur les rochers des hauts-fonds.

— Je ne suis pas de celles-là, je te l'assure ! Il en va de la vie de cette pauvre créature.

Assis sur mon lit, je la vois tout à coup, à travers le hublot, ondulant gracieusement sur les vagues. Je me frotte les yeux pour m'assurer que je n'ai pas la berlue. Elle est vraiment là, devant moi. Son corps est couvert de milliers d'écailles multicolores, son visage est empreint de douceur et ses magnifiques cheveux noirs flottent au vent.

— Fais vite, Émerick ! Je t'en conjure, dit-elle d'une voix suppliante.

— J'avise le capitaine et comme vous le savez sans doute : c'est lui qui décidera.

— Ton oncle me connaît. Fais-lui le message et je ne serai pas inquiète pour la suite des choses.

Sur ces mots, elle se volatilise. Doutant encore de la réalité de ce qui vient de se produire, je cherche à tâtons mes bottes sous la couchette. Je les enfile et je monte rejoindre mon oncle.

Au loin, une lueur orangée annonce le lever du soleil et colore la mer. Malgré la beauté de cette aurore, je fais irruption dans la cabine.

— Déjà debout? s'étonne mon oncle en m'apercevant.

— J'ai quelque chose à te dire, mais avant, tu dois me promettre de ne pas rire de moi.

— Je n'aime pas beaucoup jurer à tout propos, mais je te promets que je t'écouterai sérieusement.

Rassuré par la parole donnée, je lui raconte ce rêve qui s'est transformé en vision féerique. Pendant un court moment, il me dévisage avec gravité.

— Tu as donc vu cette étrange sirène... Tu as très bien fait de venir me prévenir. Nous sommes presque à la hauteur de cette bouée, car nous l'avons croisée lorsque nous allions nous réfugier dans la baie de l'Ours.

— Tu crois vraiment qu'une tortue géante est prisonnière de ses câbles?

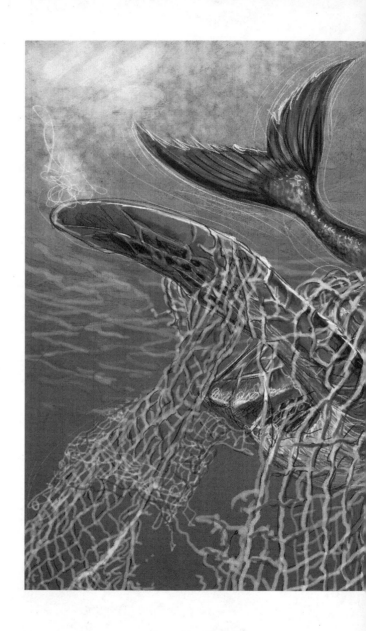

— Si Josie la sirène te l'a dit, cela ne peut être que vrai.

— L'as-tu déjà aperçue, toi aussi?

— Non. Mon père prétendait l'avoir vue à quelques reprises, mais je suis demeuré sceptique jusqu'au jour où cette merveilleuse créature lui a rendu visite alors que j'étais à bord.

— Lui avait-elle aussi demandé d'aller sauver une tortue géante?

— Non, mais je m'en souviens comme si c'était hier. Papa m'avait réveillé en m'affirmant que Josie était apparue pour lui apprendre qu'un baleineau était pris dans nos filets.

— Et vous l'avez sauvé?

— In extremis. Je ne sais comment il avait pu rester aussi longtemps au fond de l'eau sans se noyer, mais lorsque nous l'avons remonté à la surface, il respirait encore.

— C'est peut-être cette sirène qui lui avait insufflé de l'air en attendant que grand-père et toi arriviez.

— C'est exactement ce qu'avait suggéré papa, mais nous n'en aurons jamais la preuve...

— Comme ça, cette sirène existe vraiment?

— Je ne l'ai jamais vue moi-même. Mais il n'en demeure pas moins qu'une vision t'a prévenu d'un danger.

— Ce n'était peut-être qu'un rêve.

— Je vais tout de même longer cette bouée. Je ne voudrais pas revenir dans deux jours et trouver une tortue morte d'épuisement ou étouffée par des cordages parce que je n'ai pas eu la prudence de vérifier. Va réveiller Marc et Yvan : nous aurons besoin de leur aide.

Sans perdre une seconde, je redescends à la cabine afin d'avertir mes deux collègues.

En bas, les deux hommes sont déjà attablés devant un café. Je les informe de la situation.

— Sans doute une autre visite de Josie, lance Yvan.

— Qui te l'a dit ? dis-je, étonné.

— Depuis le temps que je bourlingue sur les mers, j'ai souvent entendu parler de cette sirène bienveillante. Mais je ne peux en dire plus, car je ne l'ai jamais rencontrée.

— Qui de vous deux a-t-elle visité ? me demande Marc.

— Bien... c'est moi. Mon rêve m'a semblé tellement réel que je suis monté en parler au capitaine.

— Et c'est pour ça que nous bifurquons vers cette bouée ?

J'approuve de la tête et je cours rejoindre mon oncle.

— Les gars sont levés ?

— Oui. Ils prennent un café... Est-ce la bouée, là-bas ?

— C'est exact. Prends les jumelles et regarde si tu vois cette tortue.

— Il y a trop de vagues.

— Appelle nos buveurs de café : nous y serons dans une dizaine de minutes.

Sans hésiter, je transmets les ordres. Sitôt dans la cabine de pilotage, Yvan s'empare des jumelles et scrute les abords de la bouée.

— Tu vois quelque chose? demande le capitaine.

— Il y a effectivement des remous près de la bouée, mais je ne peux pas dire ce que c'est.

Marc empoigne les jumelles à son tour. La distance s'amenuisant, celui-ci s'exclame quelques instants plus tard :

— Tu as raison, capitaine, c'est une tortue géante. Regarde, Émerick, dit-il en me passant les lunettes d'approche.

— Wow! Elle est vraiment énorme! Mais comment ferons-nous pour la libérer avec toutes ces vagues?

— Prenons le temps d'arriver sur place et nous aviserons. Il n'y a pas de problèmes sans solutions, comme me l'a souvent dit mon père.

J'ai souvent entendu grand-père le dire. Même ma mère, lorsque je suis sur le point de me décourager face à une difficulté, m'encourage de cette façon.

— Nous allons mettre la chaloupe à la mer, dit mon oncle. Vous deux, vous allez vous approcher de cette tortue, ordonne-t-il à ses équipiers. Moi je m'occuperai du Faucon alors qu'Émerick prendra quelques photos. Mon père sera sûrement heureux de les regarder lorsque je lui raconterai que nous avons sauvé ce gros reptile grâce à Josie.

— C'est la première fois que j'entends dire que les tortues sont des reptiles. J'ai toujours pensé que les reptiles étaient des serpents.

— Les serpents font partie de cette famille, mais elle compte aussi les alligators, les crocodiles et les lézards.

— Là, tu m'en apprends une bonne ! Jamais il ne me serait venu à l'idée que les tortues et les crocodiles étaient parents.

— Heureux de contribuer à ta culture, mais pour le moment, prends la caméra et installe-toi près de la rambarde.

Mon oncle a raison. Si je ne veux pas perdre l'opportunité de faire de belles photos, il vaut mieux que je me poste près du garde-corps. Vêtu de ma veste de flottaison, après avoir pris soin de passer la courroie de l'appareil autour de mon cou, je m'accoude sur la rampe, prêt à prendre des photos dont on me parlera longtemps. La chaloupe s'approche lentement de l'endroit où cette malheureuse tortue s'est empêtrée. Après avoir attaché solidement le cordage de la bouée à leur embarcation, Marc et Yvan coupent, un à un, les liens dans lesquels la tortue s'est enroulée en se démenant. Le gros reptile bouge à peine, comme s'il savait que ces hommes sont là pour l'aider à recouvrer sa liberté. Je prends des clichés en rafale afin de saisir chaque seconde du sauvetage. Après plusieurs minutes d'un travail laborieux, les hommes d'équipage délivrent enfin l'animal qui regagne lentement les profondeurs obscures du fleuve.

Après avoir à nouveau solidement attaché la corde de l'ancre à la bouée, mes deux amis rament jusqu'au Faucon.

* * *

— Beau travail, les gars, lance le capitaine en aidant ses hommes à se hisser sur le pont.

— Il était temps que nous intervenions, commente Yvan. Cette vieille tortue était épuisée et elle s'était infligé quelques blessures en cherchant à se libérer.

— Penses-tu qu'elle va en mourir ? dis-je, inquiet.

— J'en serais bien surpris, car ces bêtes-là sont coriaces.

— Heureusement que tu es venu me parler de ta rencontre avec Josie. Sans notre intervention, elle aurait fini par s'étrangler. Mais assez bavardé ! Marc, tu prends la barre pendant que nous descendons déjeuner. Ton compagnon Émerick t'apportera une assiette bien garnie. N'est-pas, jeune homme ?

Avant qu'il s'installe aux commandes, je lance, tout joyeux :

— Je t'apporte ça avec un café !

Après avoir effectué la livraison des victuailles, de retour à la cuisinette, j'écoute Yvan nous raconter avec quelles précautions ils ont dégagé la captive :

— Je ne peux pas dire si c'est en raison de son épuisement ou parce qu'elle sentait que nous lui venions en aide, mais elle n'a offert que très peu de résistance. Il fallait surtout nous assurer de ne pas lui causer d'autres blessures en coupant les câbles qui la maintenaient prisonnière.

— Et ces photos? interroge le capitaine. Peut-on les voir?

Je prends un air contrit et je mens en me retenant de pouffer de rire :

— J'étais tellement concentré à regarder la manœuvre que j'ai oublié d'en prendre.

Il s'arrête un moment, bouche bée, puis ajoute :

— Ne me dis pas que je n'aurai rien à montrer au père !

Incapable de continuer ce petit jeu plus longtemps, je réponds :

— Tu sais bien que « techno » comme je le suis, je n'aurais pas commis cette bourde. Tiens... J'espère qu'elles sont bonnes. Je ne voudrais surtout pas passer le reste du voyage à fond de cale en compagnie des turbots.

— C'est en effet ce qui va t'arriver si je ne trouve rien d'intéressant.

Il fait défiler les nombreuses images croquées sur le vif. Son visage s'illumine.

— Tu peux passer tout le temps que tu veux sur le pont. C'est le père qui va être heureux de les voir. Et lorsque je lui dirai qui était le photographe, je suis certain qu'il les trouvera encore plus belles. Regarde-les, dit-il à Yvan en lui tendant l'appareil.

Le déjeuner terminé, nous remontons sur le pont afin de nous préparer à remettre à l'eau les filets restés à bord en raison du mauvais temps.

Chapitre 11

Ma première
levée des filets

Cette fois encore, Yvan est mon partenaire pour ma seconde mise à l'eau des filets. Je suis beaucoup moins nerveux qu'avant-hier, mais je demeure concentré afin de m'assurer qu'aucun plomb ne sera emmêlé.

— Tu as vraiment appris vite ! me lance mon compagnon.

— Il s'agit juste d'être attentif et d'y mettre du sien. Mon père me dit souvent que tout ce qui est fait mérite d'être bien fait.

— Ça alors ! Sais-tu que je dis la même chose à mes enfants ?

— Mon père sera content d'apprendre qu'il n'est pas le seul à essayer d'inculquer de bons principes !

— Et puis, tu n'as pas trop à te plaindre de ton nouvel apprenti ? demande P.A. en nous rejoignant au moment où nous achevons notre tâche.

— Ça paraît qu'il a du Cormier. Il met du cœur à l'ouvrage.

— Content de te l'entendre dire.

— Et voilà le dernier filet à l'eau! s'exclame Yvan.

— Pas déjà? Moi qui commençais à peine à me faire la main...

— Tu auras l'occasion de te pratiquer autant que tu le voudras. À bord d'un bateau de pêche, la routine est simple : sitôt une série de filets dégagée de ses prises, nous la remettons à l'eau avant d'aller en remonter une autre. Et comme tu l'as constaté avant-hier, la besogne est beaucoup plus exigeante lorsqu'on les ramène.

— J'ai quand même hâte de vivre ma première expérience.

— Nous sommes dans un beau coin à turbots. Si la chance nous sourit, tu pourras te pratiquer autant que tu le voudras.

— J'ai bien hâte de tenir mon premier turbot dans mes mains!

— Yvan sera à nouveau ton coéquipier.

— Capitaine, les prochains filets à remonter sont à quelques lieues. Il me semble que l'heure est à un petit rafraîchissement...

— Excellente idée !

Attablés tous les quatre, nous profitons de ce moment de repos : moi buvant une orangeade alors que P.A. et mes deux camarades prennent une « petite bière bien frette », comme ils disent au large.

— Je ne sais pas pour vous, mais j'ai un creux, confesse Yvan.

— Je termine ma bière et je vous fricote quelque chose, répond notre cuisinier.

— Mieux vaut prendre des forces, car la levée des filets, dans ce secteur poissonneux, peut nous causer d'agréables surprises, souligne le capitaine.

— Je l'espère ! Quoi de mieux pour acquérir de la dextérité que des filets bien chargés ?

— Je retiens ce que tu dis, me signale Marc en déposant sa bouteille sur la table.

Nous en reparlerons après ta première levée.

Tant Yvan que P.A. éclatent de rire. Je leur jette un regard perplexe. Pensent-ils que je serai incapable de faire le travail ?

* * *

Chacun a gagné son poste. Mon oncle est à la barre. En tant que capitaine, il a la responsabilité d'effectuer les manœuvres nécessaires pour maintenir *Le Faucon* dans la meilleure position lors de l'embarquement des prises. Yvan et moi sommes à l'arrière du bateau, près du petit rouleau sur lequel passeront les filets en sortant de l'eau. Mon équipier s'est placé à bâbord, là où se trouve la manette servant à actionner le grand rouleau.

— C'est toi qui contrôleras la montée des filets ?

— Non, c'est le rôle du capitaine. Il peut le faire depuis la cabine de pilotage. Celle-ci, c'est notre manette « au cas où », dit-il en clignant de l'œil.

— Peux-tu m'expliquer ce que tu veux dire ?

— Si le pilote a une distraction et qu'il ne voit pas que nous sommes incapables de décrocher toutes nos prises avant que le filet ne s'enroule, je l'arrête. Mais depuis les cinq ans que je travaille sur ce bateau, ce n'est pas encore arrivé.

— Donc, vous ne vous en servez jamais.

— Jamais lorsque ton oncle est être à la barre, mais elle nous est très utile lorsqu'il confie *Le Faucon* au système de pilotage automatique et qu'il descend sur le pont pour nous aider. Cette manette devient alors le contrôle principal du grand rouleau et elle nous est indispensable.

En pensant à la tâche qui m'incombe, quelques inquiétudes m'envahissent. Est-ce que je serai à la hauteur? Je me sens aussi nerveux que lorsque je prends une mise au jeu dans notre zone en période supplémentaire. Si la pêche est bonne, comment réussira-t-on à démailler tous les poissons avec le peu d'espace dont nous disposons? Heureusement, je peux compter sur Yvan pour effectuer la plus grande partie de la tâche. Cependant, il est hors de question de jouer un rôle de figurant. Je veux démailler la majeure partie des captures qui me passeront sous le nez. Autant l'oncle P.A. que mes deux équipiers m'ont dit de ne pas m'imposer trop de pression. Mais s'ils croient qu'en un pareil moment, où j'aurai l'opportunité de me mesurer à un professionnel de la pêche, je vais donner moins que mon maximum, c'est bien mal me connaître. Je me sentirai plus à l'aise lorsque je serai vraiment rompu à ce travail. Gonflé à bloc, je me vois déjà démaillant mes premiers turbots avec une vitesse qui stupéfiera mes compagnons.

Marc, l'expert de l'équipe pour éviscérer les turbots, se tient debout à côté des bacs alignés près de la rambarde, prêt à recevoir nos prises.

Le premier filet est déjà enroulé autour du gros cylindre et nos seules prises se résument à trois crapauds de mer qui, sitôt libérés, sont retournés dans les eaux glaciales du golfe. Je regarde Yvan qui affiche un air semblant me dire de ne pas m'en faire.

— Tu trouves ça normal, trois crapauds pour tout un filet ?

— Ce sont des choses qui arrivent. Je préfère cela à un filet où des dizaines de crabes se sont empêtrés. Tu peux me croire : le travail est beaucoup plus ardu et, en prime, nous n'avons pas le droit d'en garder un seul pour notre consommation.

— Peux-tu me dire quelle est la différence entre un turbot et un flétan ?

— Les deux espèces appartiennent à la même famille. Le flétan de l'Atlantique est beaucoup plus gros que le turbot. Il peut peser jusqu'à cent cinquante kilos. Son cousin, le flétan du Groenland, que nous appelons communément flétan noir ou turbot, pèse rarement plus que six à huit kilos.

— Cela t'est-il déjà arrivé de capturer un flétan de plus de cent kilos ?

— J'aurais bien aimé, mais ma plus grosse prise faisait environ quatre-vingts kilos. Tu peux me croire : c'était une belle pièce !

— Dans les eaux où nous pêchons, vous arrive-t-il d'en attraper ?

— De temps à autre, mais ce sont de petits flétans d'une vingtaine de kilos tout au plus.

— Alors, j'ai peu de chance d'en voir un super gros ?

— Si je me fie à la moyenne des flétans capturés dans le secteur, les probabilités sont pratiquement nulles. Mais assez discuté : voilà nos premiers turbots !

* * *

Je n'ai jamais vu autant de poissons de ma vie ! Les premiers que je démaille me donnent du fil à retordre, mais en imitant la technique de mon compagnon, je m'améliore rapidement, si bien qu'au cinquième filet, je dégage presque les trois quarts des poissons à ma portée.

Chaque filet hissé à bord est plus chargé que le précédent. À plusieurs reprises, le capitaine arrête le rouleau principal afin de nous donner le temps de libérer toutes les prises.

La mer est presque calme. Seule une faible houle berce *Le Faucon*. P.A. en profite pour passer son bateau en mode automatique et venir nous prêter main-forte.

— Tu nous portes chance, me dit mon oncle en me gratifiant d'un large sourire.

Je n'ai pas vu nos filets aussi chargés depuis un bon moment. Et en passant, tu te débrouilles drôlement bien. Ne crois pas que je viens vous aider parce que tu ne fournis pas à la tâche. Lorsque les filets sont aussi pleins et que la météo le permet, je fais la même chose !

— Y a-t-il un risque de vider le golfe Saint-Laurent ? dis-je en rigolant.

— Je l'ignore, répond Marc, mais je peux dire que la lame de mon couteau est presque brûlante.

— J'ai remarqué que beaucoup de poissons étaient déjà morts dans les rets.

— Ils ont été tendus il y a trois jours. Alors, les premiers à se prendre dans les filets sont morts depuis quelques heures mais avec la température de l'eau du fleuve, il n'y a pas à craindre pour la qualité de la chair.

— Ça c'est certain, intervient l'expert en éviscération. Je ne rejette à la mer que ceux qui ont été attaqués par d'autres espèces. Quand les filets sont relevés dans les trois jours, il est rare que la chair des poissons se soit gâtée.

— Mais il ne faut pas dépasser ce délai, précise mon coéquipier, sinon nous risquons d'avoir beaucoup de pertes. Et tant qu'à travailler à remonter du poisson, aussi bien qu'il soit comestible.

— Le capitaine te donne sûrement raison sur ce point.

Je m'aperçois que lorsque je parle, je n'ai pas la même facilité à décrocher les prises. Je continue donc mon travail en silence.

— Continue comme ça et dans quelques jours, c'est moi qui aurai de la difficulté à te suivre ! s'écrie Yvan en m'observant à la dérobée.

Je souris, concentré sur ma tâche.

— Il faut dire qu'il est le dernier d'une lignée de pêcheurs ! réplique mon oncle du tac au tac.

Bonne lignée ou pas, je ne suis pas mécontent d'arriver à notre quinzième et dernier filet. Plus d'une vingtaine de boîtes sont alignées près de la rambarde, toutes pleines à ras bords. Enfin ! La corde retenant la deuxième ancre... Je suis fier d'avoir tenu le coup, car il faut l'admettre : je n'ai plus d'énergie.

Je ne me réjouis pas longtemps puisque mon compagnon lance de sa voix forte :

— Tu peux inverser le moteur du grand rouleau, capitaine, nous remettons les filets à l'eau !

Par chance, cette opération est moins exténuante. Comme ça, je n'ai pas à déclarer forfait. Je m'assure tout simplement de la position des pesées et une quinzaine de minutes plus tard, la bouée reprend place sur le grand fleuve.

— Tu me surprends, le jeune, commente Yvan. Je ne croyais pas que tu serais aussi endurant. Va te reposer en bas ; Marc et moi allons remiser notre butin dans la cale.

— Et ne bois pas toute la bière ! lance Marc à la blague.

Sans me retourner, je descends les quelques marches qui me conduisent à la cuisinette.

Chapitre 12

Le cauchemar

— Et puis, me demande Marc, t'es-tu pratiqué à ton goût ?

— Tu peux le dire ! J'avoue qu'aux derniers filets, c'est l'orgueil qui m'a fait tenir le coup.

Je flotte sur un nuage : pendant le souper, mon oncle et mes deux équipiers font l'éloge de mes performances pour ma première levée des filets.

— Tu n'auras pas besoin de berceuse pour t'endormir, remarque P.A.

— Sitôt que j'aurai avalé ma dernière bouchée !

— Sage décision, me dit mon compagnon de démaillage. Avec la chance que tu nous apportes, je parie que demain sera encore une grosse journée.

— J'ai même mis mon couteau au congélateur, blague Marc.

— Si mes gars disent vrai, tu ferais bien de ne pas tarder.

— Bonne nuit !

* * *

Sitôt la tête sur mon oreiller, je tombe dans les bras de Morphée. Impossible de dire combien de temps j'ai pu dormir quand ce rêve étrange vient perturber mon sommeil. Il fait chaud, horriblement chaud ! Je suis allongé sur le pont de teck brûlant d'un bateau des plus étranges. Les rambardes sont en or et chaque jambe qui la supporte est coiffée d'une pierre scintillante qui lance des éclats de soleil. Une autre pierre, plus grosse encore que les autres, orne la porte de ce que je crois être le poste de pilotage et les traits de lumière qu'elle projette m'aveuglent. J'essaie de me lever pour m'éloigner de cette chose éblouissante, mais cela m'est impossible. Je suis retenu par deux monstres, des serpents d'au moins trois mètres qui me menottent les poignets. Ces reptiles horribles sont, eux aussi, de couleur dorée et sur leur front se détache une protubérance de teinte émeraude. Tous deux me regardent fixement, me font voir sporadiquement leur langue fourchue et gardent leur queue enroulée à des anneaux muraux. Il m'est impossible de faire le moindre geste : aussitôt que je tente de me libérer, leur prise se resserre. Sous le soleil de plus en plus ardent, je suis couvert de sueur. Mes poignets, endoloris par les constrictions des serpents, brûlent sous les embruns que ce bateau mystérieux crée en heurtant les vagues.

Je suis à deux doigts de céder à la panique. Des dizaines d'images effrayantes se bousculent dans ma tête. J'essaie de les chasser, mais elles me harcèlent sans cesse.

J'ignore depuis combien de temps je suis retenu sur ce pont. À part le bruit du vent dans les voiles et celui de la proue fendant la mer, tout est silencieux. Les deux reptiles exceptés, je n'aperçois pas âme qui vive. Il est impossible que je sois seul sur ce bateau. À coup sûr, quelqu'un se cache quelque part et prend plaisir à me voir languir.

Je dois m'armer de patience, conserver mon calme et attendre que quelqu'un se décide à se montrer le bout du nez. Mais combien de temps pourrai-je résister? Comment faire fi de la lenteur du temps, de mes poignets douloureux et de cette frayeur qui m'assaille? Y a-t-il un moyen de me libérer de ces deux reptiles?

Lentement, je modifie la pression que m'impose ces liens bizarres en ramenant les bras vers moi. Leur réaction est instantanée : l'étau se resserre tandis que si je les étire en direction des anneaux, ces liens bizarres se relâchent. Pour m'en assurer, je répète mon manège. Je sais maintenant ce que j'ai à faire. J'allonge mes bras autant que je le peux et je ne bouge plus. De longues minutes s'écoulent et les efforts que je mets à les maintenir en pleine extension me vrillent les épaules. Une sensation de brûlure s'installe et s'accentue. Elle me rappelle le marathon que j'ai couru l'année dernière. Lors du dixième et dernier kilomètre, mes cuisses et mes mollets étaient en feu, mais je maintenais la cadence afin de conserver mon premier rang. Je fais pareil aujourd'hui, car je sens mes liens se dénouer à la longue. Après avoir résisté à l'envie de faire le moindre geste : victoire!

Les deux serpents délaissent leur prise et se retirent graduellement. Je n'ose pas bouger, craignant qu'ils me capturent de nouveau.

Enroulés, parfaitement immobiles, ils donnent l'impression d'être pétrifiés. Imperceptiblement, je ramène mes bras le long de mon corps afin de m'en servir comme appui lorsque j'effectuerai ce redressement qui me propulsera sur mes pieds. Je sais que le succès de cette première opération dépend de la lenteur de mes mouvements.

Mon cœur bat comme s'il voulait sortir de ma poitrine. Je prends une grande inspiration, je retiens brièvement mon souffle et je fais un premier mouvement. J'expire lentement et jette un coup d'œil sur les deux enroulements que je soupçonne de continuer de me surveiller. Au bout de je ne sais combien de temps, mes bras reposent contre mon tronc. Il ne me reste plus qu'à me remettre sur mes pieds. Tout est calme du côté de mes deux gardiens, mais je les sais prêts à intervenir.

Malgré ma situation précaire, je prends quelques instants pour mieux visualiser les mouvements à mettre en action pour réussir mon coup. Je colle mon menton à ma poitrine, remonte mes bras au niveau de ma taille, les paumes face au pont pour un appui parfait et, alors que le haut de mon corps laisse la surface de teck, je plie mes genoux et m'élance vers l'avant pour me retrouver debout. J'ai souvent réussi ce mouvement au gymnase.

Deux pas rapides et je suis hors de portée de ces fichus serpents. Ils viennent de se happer l'un l'autre, confondus par ma vitesse. Cependant, mon euphorie est bientôt interrompue par une voix rauque surgie de nulle part.

— Tu as berné ces sales bestioles, mais moi, tu ne m'auras pas !

J'avais presque oublié que je ne pouvais pas être seul sur cet étrange bateau. Où donc se cache cet ennemi invisible ?

Mon regard se pose sur la grosse pierre ornant la porte de la cabine de pilotage et s'en détourne aussitôt, aveuglé par son éclat. Je recule jusqu'à la rambarde de bâbord. Devant moi s'ouvre l'escalier menant à la cale. Si j'en avais le courage, je m'y précipiterais afin de débusquer mon adversaire. Mais je reste là, dos au garde-fou, cherchant un moyen de me sortir de ce pétrin. Si j'avais une arme, je pourrais mieux me défendre... Mais où en dénicher une ? Après avoir balayé du regard tous les racoins du pont de ce bateau de malheur, je ne vois rien qui puisse en faire office.

À moins que... Euréka ! La pierre éblouissante dont je ne peux supporter les feux ! Mais comment l'arracher de cette porte ? Reprenant courage, je m'approche du poste de pilotage. J'agrippe l'objet à pleines mains et tire de toutes mes forces. Il ne bouge pas d'un cil. J'essaie de le faire pivoter : sans résultat. Par dépit, je lui assène un coup violent et surprise : la pierre se détache et j'ai tout juste le temps de l'attraper au vol avant qu'elle ne touche le pont. Ce précieux trésor dans la paume, je m'amuse à lancer des jets de lumière sur les serpents qui, sur le coup, s'enfuient sans demander leur reste.

Je crie en pesant chacun de mes mots :

— Montrez-vous si vous n'êtes pas un lâche !

Après quelques secondes d'attente, j'entends des pas lourds gravir l'escalier venant de la cale. Je vois apparaître une chevelure châtain, raide et négligée. Suivent des épaules malingres et une silhouette qui s'allonge marche après marche. Un homme portant une redingote pourpre et un pantalon de toile bleue se dresse devant moi. Un sabre pend à sa ceinture. Une barbe de quelques jours pare son visage. Il me fixe d'un regard ténébreux. Il avance d'un pas et porte la main à son arme.

Je reste immobile, tenant fermement la pierre dans ma main droite. Je fais tout pour camoufler mes craintes.

— Qui êtes-vous, monsieur, et pourquoi me retenez-vous captif sur ce navire ? dis-je d'une voix qui dissimule mal mon inquiétude.

— Qui je suis ? Ne fais pas l'innocent, freluquet ! Tu le sais mieux que tout autre.

L'effroi me glace. Je suis certain que cet homme est un pirate, mais lequel ? Il ne peut s'agir de Barbe Noire, car ce dernier était beaucoup plus costaud et comme le dit son nom, il portait une barbe abondante. Je me remémore les gravures du livre ancien que m'a prêté le capitaine Teach. Je ne pouvais tomber sur flibustier plus sadique, plus sanguinaire : un barbare qui tuait par simple plaisir. J'en suis persuadé : j'ai devant moi Jean Naud, dit l'Olonnais. Sentant mes jambes flageoler, je me ressaisis.

— Je vois que tu as trouvé, dit-il en dégainant son sabre.

Tel un chat certain d'achever sa victime quand il le voudra, il s'amuse de la situation. Il affiche un sourire cruel.

— Tu verras ce qu'il en coûte d'avoir cru les mensonges de ce faux jeton de Teach. Mais avant, crois-moi, tu vas souffrir ! promet-il.

Comme il s'avance, brandissant son arme, je dirige sur son visage les faisceaux de ma pierre. Du coup, il recule et protège ses yeux avec son avant-bras.

— Tu as découvert le secret de mon joyau, sale petit voleur !

Je garde les feux éclatants pointés sur lui afin de le tenir à distance. Soudain, portant la main derrière son dos, il empoigne un pistolet qu'il braque sur moi.

— Tu vas payer ton crime de ta vie !

La détonation se fait entendre.

— Nooon !

Je suis en nage, haletant, je tremble de tous mes membres, assis dans mon lit. Ce rêve est sans l'ombre d'un doute le pire cauchemar de toute ma vie. Marc, réveillé par mon hurlement, s'approche de ma couchette.

— Tu as fait un mauvais rêve, me dit-il en m'apportant un verre d'eau.

— J'étais prisonnier...

— Il est deux heures du matin. Tu nous raconteras ça au déjeuner. Bois un peu et tâche de te rendormir. Dans trois heures à peine, le capitaine jouera de la clochette.

Chapitre 13

Ma dernière journée
à bord

La voix de Marc m'arrache au sommeil :

— Debout, mon gars ! Tes œufs t'attendent.

J'ouvre mes yeux aux paupières lourdes. Je me redresse. Le reste de la nuit s'est passé en un éclair.

C'est déjà la dernière journée dc mon aventure en mer. Je veux en savourer chaque minute. Encore un peu abasourdi, je saute de ma couchette. Tout en réprimant un long bâillement, je rejoins l'équipage.

— Et ce cauchemar, tu nous le racontes ? lance Marc, rongé par la curiosité.

— Laisse-moi quelques minutes ! J'ai l'esprit encore endormi.

Après avoir avalé plus de la moitié de mon jus d'orange et quelques grosses bouchées, je commence à raconter mon rêve. Moi, tout comme mon grand-père Cormier, je n'oublie jamais aucun détail. J'en suis à peine au tiers de mon récit lorsque mon oncle m'interrompt :

— Tu n'es pas en train d'exagérer un peu ?

— Je te jure que non !

— Je te taquinais. C'est connu : tous ceux qui fréquentent notre famille savent que ni moi, ni mon père, ni aucun de nos aïeux n'a jamais enjolivé un récit juste pour le rendre plus intéressant.

— Tu peux le dire ! s'exclame Yvan.

— Assez bavardé, coupe P.A. Hier, au téléphone, j'ai dit à ma sœurette que nous accosterions à Natashquan vers les dix-huit heures.

— Si nos filets sont aussi chargés qu'ils l'étaient à la dernière récolte, nous ferions bien de nous grouiller, approuve mon camarade au démaillage.

— Je retourne à la barre, et vous deux, dit-il en montrant du nez ses deux engagés, montez une trentaine de bacs sur le pont. Je suis certain qu'avec la chance que nous connaissons ces jours-ci, on les remplira. Quant à ton rêve, Émerick, tu auras tout le temps de nous le raconter sur le chemin du retour.

— Il n'y a pas de problème! Pendant que vous vous affairez sur le pont, je m'occupe de déblayer la table et de laver la vaisselle.

— Bravo mon gars! se réjouit Marc en me tendant sa tasse. C'est ce que j'appelle une belle initiative.

Dès que les trois marins ont quitté la cuisinette, je m'empresse de m'acquitter de ma corvée afin de les rejoindre au plus vite.

* * *

Mes deux compagnons n'en démordent pas : je leur porte chance.

La première bouée est déjà à bord et le cordage retenant les filets s'embobine lentement sur le grand rouleau.

— Si nous continuons sur notre lancée, la paye sera bonne, me confie Yvan. Le capitaine nous donne un bonus lorsque nous rentrons au quai avec plus de quatre-vingts boîtes.

— Ça fait beaucoup de turbots.

— Plus de dix mille livres, me confirme mon compagnon.

— Et cela arrive souvent?

— C'est très rare. Notre dernier bonus remonte à deux ou trois ans. Mais avec toi à bord, c'est presque assuré.

— Je vous le souhaite! Si je vous porte bonheur, je serai peut-être réinvité l'été prochain...

— Compte sur nous pour lui en parler! lance Marc qui n'a rien perdu de notre conversation.

— J'aimerais bien faire un voyage un peu plus long. Mais voilà nos premiers tur-bots!

Les quinze filets remis à la mer après avoir été soulagés de leurs prises, Marc nous annonce que nous avons rempli vingt-deux boîtes déjà prêtes à prendre le chemin de la cale. Comme chacune d'elle pèse plus d'une cinquantaine de kilos, mes équipiers me dispensent encore de cette tâche, craignant que je me blesse.

Je prends quelques moments pour admirer cette mer magnifique que demain je devrai contempler de la rive.

— Tu n'es pas trop fatigué? me demande mon oncle en venant rejoindre ses hommes sur le pont.

— Ça va. J'ai juste un peu sommeil.

— Alors profites-en pour aller t'allonger un peu : dans une heure, nous aurons une autre série de quinze rets à relever.

— Bonne idée, fais-je en prenant le chemin de la chambrette.

À peine la tête sur mon oreiller je m'endors.

Ma sieste est interrompue par mes deux compagnons qui discutent dans la cuisinette attenante.

— Émerick, as-tu un petit creux? crie Marc derrière ses chaudrons.

— J'en ai même un gros! dis-je en me levant.

— Tu n'es pas le seul, ajoute P.A. en nous rejoignant. Qu'est-ce que tu nous fricotes ?

— Comme notre jeune ami a bien aimé mon turbot au poêlon et que c'est son dernier repas à bord, j'ai décidé de lui en refaire.

— Excellente idée !

Le cuistot me tend une assiette où reposent deux beaux filets bien dorés et une tranche de pain beurré. Sans attendre les autres, je fais honneur au festin.

Lorsque Marc s'assoit enfin pour avaler son gueuleton, j'ai déjà terminé et, comme je le fais à la maison, je complimente le chef.

— Merci, me dit-il. J'apprécie vraiment. Sur ce rafiot, les félicitations sont denrée rare. Mais que veux-tu ? Faut croire que ces deux-là n'ont pas ton raffinement.

— Faut croire, comme tu dis, mais là, il est temps de remonter sur le pont, annonce le capitaine, sa dernière bouchée avalée.

* * *

Dès les premiers filets, je constate que la bonne fortune nous poursuit. Sans exagérer, il y un turbot à toutes les deux ou trois mailles. Je décroche les prises avec facilité et lorsqu'un intrus s'est égaré dans nos filets, je le rejette à l'eau, même s'il est déjà mort. Je n'ai pas encore la rapidité d'Yvan, mais je fais meilleure figure qu'à mes débuts. Les vagues longues qui ballottent *Le Faucon* ont moins d'effet sur mon équilibre. Comme le dirait mon grand-père Cormier : je commence à avoir le pied marin.

Je mets beaucoup d'efforts pour bien seconder mon compagnon de démaillage. Je le fais aussi pour tenter d'oublier l'imminence du retour. Même si j'ai hâte de revoir mes parents pour leur raconter mon expérience d'aide-pêcheur, cette perspective me rend mélancolique. Sûr, je n'ai pas tout à fait remplacé Fernand – vous vous rappelez : le monsieur qui a pris un congé pour aller marier sa fille – mais j'ai fait de mon mieux.

— Regarde ce qui s'en vient de ton côté ! s'écrie Yvan.

En jetant un coup d'œil au filet, mes yeux s'écarquillent. Un flétan énorme s'approche du petit rouleau.

— Wow! C'est presque un monstre!

— Pas loin d'une trentaine de kilos, peut-être même un peu plus.

— Vas-tu me laisser le démailler?

— Bien sûr que oui. J'arrête le treuil et je te le laisse! C'est notre plus gros flétan depuis un sacré bout de temps.

— Lorsque Marc l'aura entre les mains, je vais le photographier.

— Je vais faire mieux, dit mon ami en enlevant ses gants. Passe-moi ton appareil et je t'immortalise pendant que tu le décroches.

— Super! J'ai hâte de voir la tête de mes amis!

C'est la première fois que je tiens un poisson de cette taille. Comme promis, Yvan prend quelques clichés. Quand vient le temps de le soulever, j'ai l'impression qu'il pèse le double du poids estimé.

— Reprends ton téléphone : nous avons encore quelques filets à dégager, souligne mon compagnon en remettant le gros rouleau en marche.

Pendant plus d'une heure, nous travaillons à récolter tous les turbots que la mer nous accorde.

Cette fois, c'est à moi que revient la responsabilité de mettre la dernière bouée à l'eau. Mon oncle prend encore quelques photos pour fixer ce moment à tout jamais.

— Avec ces boîtes qui s'additionnent aux autres, est-ce suffisant pour votre bonus?

— Oui, monsieur! répond Yvan.

Pendant que les trois habitués transbordent les bacs de turbots dans la cale, j'envoie un texto à mon père pour lui annoncer que nous mettons le cap sur le quai de Natashquan. Sa réponse est immédiate : « Splendide ! Nous t'attendrons, ta mère et moi. »

Le travail terminé, tout le monde descend à la cuisinette pour y prendre un repos bien mérité.

Comme l'avait suggéré mon oncle au déjeuner, je raconte mon rêve étrange sans omettre un seul détail. Mon récit terminé, Pierre-André prend la parole :

— Je suggère de porter un toast à notre moussaillon, clame-t-il en levant sa tasse de café, aussitôt imité par ses deux compagnons. Tu nous as donné un bon coup de main. J'ai vu que tu étais intéressé dès que tu as mis les pieds sur *Le Faucon*. Tu as bien observé les manœuvres de chacun et quand est venu le temps de te mettre au travail, tu as tout fait pour te rendre utile. Contrairement à mes hommes, je n'ai pas été surpris de constater que tu apprenais vite. Après tout, tu es mon neveu !

— Bien moi, je vais te faire une petite confession, ajoute Yvan. Quand le capitaine nous a annoncé que son neveu d'une douzaine d'années venait remplacer mon ami Fernand, j'ai eu des gros doutes. Mais là, je peux dire que tu n'as pas les deux pieds dans la même bottine.

Comme je ne sais pas quoi dire, je me tais. Je suis un peu surpris qu'Yvan m'ait fait cette confidence, et je l'accueille comme un énorme compliment.

La conclusion revient à celui qui a joué pour moi le rôle de grand frère et qui, tasse encore levée, prononce ces mots :

— Moi, aussitôt que je t'ai serré la main, j'ai été certain que tu nous aiderais. Je sais que Fernand a plusieurs filles. Je vais lui suggérer d'en marier une autre l'été prochain et de prendre son temps. Le capitaine ne manquera pas l'occasion de te ramener avec nous pour continuer ton apprentissage de pêcheur.

Autant P.A. que mon compagnon aux filets s'amusent de cette proposition.

— J'en prends bonne note mon cher Marc, tout en étant convaincu que si la situation se présente, tu n'hésiteras pas à me le rappeler.

— Merci pour vos encouragements ! Si on m'invite à nouveau, je viendrai au pas de course !

Chapitre 14

Le retour
à la terre ferme

Assis dans le fauteuil du capitaine, je me sens choyé comme un roi. Bien que le bateau soit sur le pilote automatique, je m'imagine un moment être le maître à bord. Ma mère avait raison. Combien de jeunes de mon âge aimeraient vivre une telle aventure?

C'est immense le golfe : tout autour de moi, je ne vois que de l'eau. Notre bateau progresse en direction du quai de Natashquan, que j'imagine au-delà de la ligne d'horizon. Ce cauchemar de la veille me traverse encore l'esprit. Jamais je n'aurais cru qu'il s'agirait de la chose la plus effrayante à être survenue pendant mon expédition.

Une baleine que je ne peux identifier nous accompagne depuis un moment. Elle nage à une centaine de mètres à bâbord. Comme elle patrouille en surface, sans doute poursuit-elle un banc de poissons.

Même si j'ai douze ans et que je rentre au secondaire en août, j'ai hâte de revoir mes parents. Ils seront sûrement sur le quai une heure à l'avance, pour voir venir de loin le bateau de Pierre-André. Sitôt que j'aurai le pied à terre, maman me serrera dans ses bras en me disant combien elle s'est ennuyée, et papa en m'ébouriffant le toupet me dira tout simplement : « Et puis, mon gars, ce voyage ? »

Mon oncle m'a dit qu'après avoir retrouvé le plancher des vaches, j'en aurais pour une couple d'heures à ressentir l'effet du roulis. Je ne mets pas sa parole en doute, mais je suis impatient de le vérifier.

— Es-tu déjà au quai de Natashquan ? me questionne mon oncle en entrant dans la cabine.

— C'est presque ça. Je m'imaginais marchant sur un quai chambranlant, en raison du roulis.

— Tu verras, c'est un peu spécial.

— La côte semble s'approcher à vue d'œil. Serons-nous à destination avant l'heure prévue ?

— Ni à l'avance ni en retard.

— Veux-tu que je te rende ton fauteuil ?

— Pas du tout ! Je venais juste jaser... Prête-moi ton portable, je vais te prendre au poste de pilotage. Tu feras fureur.

— Tu as vu comme ces baleines sont tout près ! Je les photographie. Ce sont elles qui feront fureur !

— Ce sont des rorquals, m'apprend mon oncle. Ils sont nombreux dans le golfe en cette période de l'année.

Après que j'aie croqué ces géants sur le vif, mon oncle fait de même.

* * *

Mes sentiments sont partagés. Je ressens un peu de tristesse et, d'un autre côté, je suis impatient de rentrer chez nous, de retrouver ma chambre, mes choses et, bien entendu, mon ami Yan à qui j'ai tant de choses à raconter.

Une autre pensée occupe mon esprit. Le printemps dernier, nous avons reçu la visite d'un auteur dans notre classe. Comme la plupart de ceux qui sont venus nous rencontrer, il nous a parlé du plaisir qu'il avait à inventer et à écrire ses histoires. Il a aussi insisté sur l'importance que les lecteurs éprouvent les émotions vécues par ses personnages. Moi, dont le rêve secret est toujours de devenir écrivain, en pensant à cette rencontre, je me demande si je serai capable de transmettre les émotions qui m'ont habité pendant ces quatre jours. Si on nous demande de rédiger une composition relatant nos meilleurs souvenirs de vacances, ce sera une bonne occasion de le vérifier.

— Tu me sembles encore plus absent que tantôt, me dit mon oncle.

— J'étais déjà en classe...

— Déjà en classe ! s'exclame-t-il. Je ne détestais pas l'école, mais je ne me souviens pas d'y avoir pensé pendant l'été.

— Maman t'as sûrement dit que j'entrais au secondaire le mois prochain.

— Oui, en effet. Cela t'inquiète ?

— Non, au contraire, j'ai hâte de côtoyer les grands.

— Alors, si cela n'est pas trop indiscret, à quoi pensais-tu ?

— Au primaire, depuis la troisième année, on nous demandait de rédiger un texte sur nos meilleurs souvenirs de vacances.

— Comment faire le ménage de ta chambre en juillet ? me dit mon oncle en rigolant.

— Je me demande comment tu as fait pour le deviner. Mais cette année, pour faire changement, si on nous demande le même exercice, je vais raconter mon expérience d'apprenti pêcheur.

— Si c'est le cas, tu m'enverras une copie de ton texte par courriel. Et crois-moi, je ne serai pas le seul à le lire. En plus de tes grands-parents si fiers de leur petit-fils, je suis certain que Marc et Yvan seront heureux d'en prendre connaissance.

— Je parlerai du Faucon, de son capitaine et de ses deux acolytes, tu peux en être certain. Je raconterai aussi la pêche peu commune que nous avons faite. Reste à savoir si on nous demandera ce genre de texte. Pour le moment, je suis encore en vacances et je compte les savourer au maximum.

— Tu as raison. Il faut savoir profiter du moment présent.

— Regarde, il y a des gens qui attendent sur le quai. Je ne serais pas surpris que ce soient mes parents...

— Connaissant ma sœur, je n'ai aucun doute.

* * *

Tel que convenu, j'aide Marc à amarrer *Le Faucon* aux bollards du quai. Ma mère m'observe attentivement alors que mon père discute avec une personne que je ne connais pas.

Le bateau étant solidement arrimé, le capitaine arrête le moteur et sort de sa cabine. Yvan m'apporte mon sac et m'aide à monter sur le quai.

— Je t'ai vu faire ! s'exclame ma mère en me prenant dans ses bras.

— Oui, ton frère m'a dit que j'en étais capable.

— Je suis tellement contente que tu sois revenu ! Tu ne t'es pas trop ennuyé ?

— Pauvre maman ! Je n'ai été parti que quatre jours. Et pour être franc, je n'ai pas eu une minute pour ça. Je t'aime beaucoup, mais sur un bateau de pêche, les travaux chassent l'ennui.

— Il n'a tout de même plus cinq ans, ajoute mon oncle en nous rejoignant.

— Je le sais, mais c'est la première fois qu'il s'éloigne de nous aussi longtemps.

— Mélanie, tu ne le garderas pas sous tes jupes jusqu'à sa majorité : il faudra t'y habituer, car il se pourrait bien que je le reprenne l'été prochain pour au moins une couple de semaines.

— Pour deux semaines ? fais-je en écho.

— Si tu le veux, naturellement.

— Et si tes parents le veulent, eux aussi, intervient maman en lui jetant un œil sévère.

— Si nous voulons quoi ? demande papa en s'approchant.

— Mon oncle veut m'inviter pour une quinzaine de jours l'été prochain.

— Tu as dû livrer toute une performance ! A-t-il été aussi bon que ça ? demande-t-il à son beau-frère.

— Tu peux être fier de ton gars ! Mes hommes l'ont trouvé pas mal déluré. Et la pêche au saumon ?

— J'ai fait deux belles prises : elles m'attendent dans le congélateur de l'auberge.

— Et toi, ma chère sœur ? J'imagine que tu en as profité pour t'inquiéter et pour lire quelques romans...

— Je me suis plutôt concentrée sur la lecture. Je sais que tu as bien des défauts mais que, par ailleurs, tu es très prudent.

— Tu viens souper avec nous ? offre papa.

— Je ne peux pas. Il faut que je passe à la pesée. J'ai plus de dix mille livres de turbots à débarquer. Mais sois certain que je passerai goûter une bonne darne de saumon, une fois terminée la saison de pêche.

— Comme ça, je vais te revoir avant le temps des Fêtes? dis-je pour attirer son attention.

— Il y a de bonnes chances. Et merci pour le coup de main que tu m'as donné. Tu m'as vraiment surpris.

— Alors, pour l'été prochain, c'est sérieux?

— Nous verrons en temps et lieux, tranche à nouveau ma mère avant que son frère puisse ouvrir la bouche.

— Nous allons te laisser là-dessus, dit mon père. Tu as notre numéro de téléphone et nous avons le tien. Alors on se rappelle.

Mon oncle remonte sur *Le Faucon*. J'espère pouvoir me joindre à lui dans un an.

— Émerick, lance maman, tu viens?

— Oui, oui, fais-je en jetant un ultime regard au bateau.

Nous montons dans l'auto de papa. Direction l'Échourie!

Chapitre 15

Un dernier souper à Natashquan

Pour souligner la fin de mon expédition sur *Le Faucon*, mon père propose, en me rappelant qu'une fois n'est pas coutume et, si bien sûr maman est d'accord, de me verser une demi-coupe de vin.

J'ai devant moi un plat de pâtes regorgeant de crabe et de crevettes auquel je fais honneur.

— Le vent du large t'a ouvert l'appétit, constate papa.

— Sur le bateau, tu mangeais bien? demande maman avant que je puisse répondre à mon père.

— C'est Marc qui était le cuistot. Il nous a préparé des filets de turbots qui n'étaient pas piqués des vers.

— Si je m'en fie à nos voyages de pêche, avec ces journées passées au grand air, ce ne devait pas être toi qui, le soir, éteignais les lumières.

— Tu peux le dire : le premier jour, j'étais si fatigué que je me suis couché juste après souper !

— Il devait y avoir des vagues énormes à certains moments.

— Trois ou quatre mètres, au plus fort de la tempête de vent.

— Tu étais sur le pont par un temps pareil ?

— Non, maman. J'étais à l'abri dans la cabine de pilotage avec Pierre-André. Et comme la météo annonçait que les bourrasques ne faibliraient pas, il a décidé d'aller se réfugier dans la baie de l'Ours.

— Papa nous a déjà parlé de cette baie. Lui aussi, lorsque le temps était mauvais, il allait y jeter l'ancre. Quand il a pris sa décision, vous en étiez loin ?

— Sûrement parce que j'ai eu le temps de dormir toute la nuit avant qu'on y soit.

— Tu n'as pas fait d'insomnie malgré le gros temps ? demande papa.

— J'aurais ronflé sur le pont tellement j'étais épuisé. En plus, sachant que mon oncle est un marin d'expérience, je n'avais pas d'inquiétude. Et comme tu me l'as déjà dit : il faut avoir confiance en son capitaine.

— Sans doute, mais admets qu'il y avait tout de même des risques, objecte ma mère.

— Mélanie, reprend papa d'une voix calme : chaque soir, lorsque nous nous endormons, nous prenons le risque de ne pas nous réveiller. Au matin, dès que nous mettons le pied hors du lit, nous prenons le risque de nous casser quelque chose. Tu as raison de dire qu'il y avait un risque, mais la vie en est truffée, non ?

— Oui, mais un bateau pas plus gros que *Le Faucon* dans des vagues qui ont peut-être sept ou huit mètres, ça c'est un vrai risque !

— Je te le concède, mais comme le disait Émerick, ton frère est un excellent marin et il est très prudent. À preuve, il est allé s'abriter.

— Je sais que tu as raison, mais j'avais tout de même de bons motifs de m'inquiéter. Et vous avez été longtemps dans cette baie ?

— Une journée seulement, mais j'ai eu le temps de rencontrer le capitaine Teach qui est le descendant du célèbre pirate Barbe Noire. En plus, Marc m'a initié à la pêche aux maquereaux et j'en ai pris plus d'une quinzaine.

— Wow ! s'exclame mon père. Tu as dû l'épater !

— Les maquereaux se tiennent en bancs. Marc me répétait : « Le maquereau, ou tu n'en prends pas un seul, ou tu peux remplir une chaudière de vingt litres. »

— Et ce monsieur Teach, ce supposé descendant de Barbe Noire ? interroge ma mère.

— Cela ne fait pas de doute ! Il m'a même permis de consulter un livre ancien. Si tu l'avais vu maman, je suis certain que tu l'aurais trouvé magnifique. La couverture était en cuir et chaque chapitre commençait par une énorme lettre dorée, une lettrine. Monsieur Teach, en me le remettant, m'a dit de le manipuler avec grand soin.

— Tout cela est bien beau, mais rien ne me confirme que ce Teach soit parent avec le pirate.

— Pourquoi mentirait-il?

— Pour se rendre intéressant.

— J'ai lu que le véritable nom de Barbe Noire était Edward Teach...

— Ça ne constitue pas une très grosse preuve, mais enfin...

— Il a dû avoir une vie assez mouvementée? poursuit mon père qui, lui, semble croire ce que je dis.

— Oui et une mort atroce. Si tu savais tous les hommes qu'il a tué en exerçant son métier!

— J'aurais honte d'avoir un tel ancêtre! lance maman.

— Lui, par contre, il en est très fier, car contrairement à tout ce qu'on raconte sur ces hommes, les forbans aidaient beaucoup les gens qui vivaient pauvrement dans les petits villages côtiers. Ils leur donnaient des vivres et des pièces d'or et, en échange, ces gens leur donnaient des renseignements utiles.

— Donc, ils ne les aidaient pas par simple générosité. Ils se payaient des délateurs.

— C'était en d'autres temps, dit papa. On ne va pas faire le procès des flibustiers. Je comprends que notre garçon ait été impressionné par cette rencontre, mais je ne crois pas pour autant qu'il veuille devenir pirate.

— Ne sois pas inquiète, maman. J'ai des ambitions beaucoup plus nobles. Comme de jouer dans la Ligue nationale de hockey et de devenir millionnaire.

— Il faut viser grand, approuve mon père. Si tu n'y crois pas, personne ne le fera à ta place.

— Parfois, j'ai l'impression que vous avez le même âge ! Et toi, Émerick, n'oublie pas que dans un mois, tu entres au secondaire. Tu verras que là, c'est du sérieux.

— J'y pensais justement en revenant sur le bateau. Je te jure, maman : j'ai hâte d'être à la polyvalente et je vais faire ce qu'il faut pour avoir de bonnes notes.

— Tu vois, Mélanie, comme notre garçon a du plomb dans la tête. D'ailleurs aujourd'hui, beaucoup de sportifs terminent leurs études avant de devenir des professionnels.

— Et toi, papa, tes deux saumons t'ont-ils donné du fil à retordre ?

— Pas vraiment. La pêche sur la rivière Natashquan se fait en canot et le guide contrôlait admirablement bien l'embarcation. Mais il m'a fallu beaucoup de patience : quand j'ai ferré le premier, nous pêchions depuis six heures.

— Tu devais avoir hâte qu'il se passe quelque chose !

— À qui le dis-tu ? Mais cela en a valu la peine : une prise de huit kilos.

— Wow ! Cela nous fera tout un festin.

— De retour à la maison, je ne serai pas long à vous faire quelques darnes sur le gril.

— Il ne faut pas oublier notre projet de nous rendre à Kegaska.

— Je l'oubliais presque, dit papa. Toi, Émerick, cela te tente toujours que nous ajoutions ce petit bout de chemin à notre voyage?

— Bien sûr! Surtout que je serai probablement le seul de tous mes amis à m'y être rendu.

— Au retour, nous pourrions coucher à Sept-Îles, propose maman.

Je fais une moue enfantine à laquelle ma mère ne résiste jamais et je dis :

— Ou à la maison, peut-être... J'ai hâte de coucher dans mon lit et de revoir Yan pour que nous nous racontions nos voyages.

— Si ton père est d'accord pour que nous nous partagions la route, nous rentrerons directement. J'avoue que moi aussi, la maison me manque.

— Marché conclu! approuve papa. Je m'occupe de l'addition et on rentre sagement à l'Auberge.

— Je ne dis pas non! Ce matin, P.A. a sonné le réveil à cinq heures. Je suis crevé!

Chapitre 16

Kegaska

Il est sept heures trente lorsque maman me touche délicatement l'épaule pour m'annoncer qu'il est temps de me lever. Je m'étire pendant quelques instants avant de sauter du lit. Le soleil illumine la chambre et nous annonce une superbe journée, un temps idéal pour quelques photos mémorables à Kegaska.

Papa, plus matinal qu'à son habitude, est déjà sous la douche. Maman fait du rangement pendant qu'à la fenêtre, je contemple la mer. Tout en me délectant de ce paysage magnifique, je pense à ces quelques jours passés sur le bateau de mon oncle. Est-il déjà reparti au large?

— Crois-tu que ton frère était sérieux lorsqu'il a dit qu'il me reprendrait l'an prochain?

— Je pense que oui, mais nous en reparlerons, ton père et moi.

— Pourquoi en discuter ? Si, Pierre-André veut m'inviter pour une plus longue période, c'est que j'ai fait ce qu'il fallait faire !

— Admets que deux semaines, c'est tout un voyage en mer. Je ne suis pas certaine que tu trouverais ça aussi « tripant », comme tu le dis.

— Moi je suis certain du contraire ! D'abord nous ne passerons pas deux semaines pleines en mer puisque P.A. doit revenir au quai à tous les trois ou quatre jours pour décharger ses prises. En plus, cela me donnerait peut-être la chance d'aller pêcher jusque sur les bancs de Terre-Neuve. Lorsque papa sortira de la douche, je lui demanderai son avis. Je suis sûr qu'il pense différemment.

— Émerick, tu viens à peine de débarquer. L'été prochain, c'est loin. Note que je n'ai pas dit non : j'ai juste dit que nous en parlerions, ton père et moi.

Lorsque maman est aussi intraitable, il vaut mieux changer de sujet. Elle a raison : l'été prochain, c'est loin, et je suis certain qu'avec l'aide de papa, nous la ferons changer d'idée.

— Si tu veux prendre une douche, me dit mon père, je t'ai laissé un peu d'eau chaude.

— J'en ai pris une hier soir. Je vais simplement me débarbouiller.

— Fais ta toilette, allons déjeuner et ensuite : à nous Kegaska !

— Tu peux mettre les valises dans l'auto. Pendant ce temps, je passerai à la réception pour régler nos frais d'hébergement.

* * *

Assis sur la banquette arrière, j'ai peine à garder les yeux ouverts. Nous venons de doubler la réserve innue de Pointe-Parent.

— Savais-tu que ce sont les Montagnais de cette réserve qui ont construit le pont que nous traverserons sur la rivière Natashquan ?

— Maintenant je le sais, maman. Parlant de ce pont, nous en sommes encore loin ?

— À quinze, vingt minutes. Tu verras, c'est une très belle rivière.

— Si je ne m'endors pas avant. Il me semble que j'ai du sommeil à rattraper.

— Pour te mériter les éloges de Pierre-André, il est clair que tu n'as pas chômé.

— Rassure-toi, maman, je n'étais pas aux travaux forcés.

— Il y a aussi l'air marin qui a le don d'ensommeiller, intervient papa. Souviens-toi, Mélanie : chaque fois que nous revenons d'une journée de pêche, notre garçon dort debout !

— Papa a raison ! Les activités en plein air ont sur moi des effets soporifiques.

— L'essentiel est que tu aies aimé ton expérience et que tu sois revenu en un seul morceau, mentionne maman en me regardant avec son beau sourire.

— Et avec une proposition de deux semaines sur le grand fleuve pour l'été prochain !

— Émerick ! Tu sais ce que j'en pense.

— C'est tout de même une belle offre !

— Jacques, si tu le veux bien, nous en reparlerons.

— D'accord. Et entre-temps, qui sait? Le Canadien de Montréal te conviera peut-être à son camp d'entraînement, me dit papa en m'adressant une œillade dans le rétroviseur.

— Je pense que mon oncle comprendrait que je ne peux pas laisser passer une telle opportunité.

Nous éclatons tous les trois d'un rire contagieux.

— Nous sommes déjà au pont de la rivière Natashquan, fait remarquer maman. Nous devrions nous y arrêter.

— Elle vaut la peine que nous l'admirions un peu, approuve papa en se rangeant sur le bas-côté.

Nous marchons tous les trois jusqu'au centre du pont. La Natashquan est vraiment majestueuse, et fréquentée par des milliers de saumons. Papa n'a pas dû s'ennuyer dans son canot agité par les caprices du courant. Mon père a d'ailleurs des étoiles dans les yeux. Nous la contemplons un long moment en silence.

— Si nous voulons voir Kegaska, il faudrait peut-être reprendre la route.

— Est-elle en gravier ?

— Oui pour les derniers soixante kilomètres qu'il nous reste à franchir.

— Profites-en pour faire un petit roupillon.

Sitôt dans l'auto, je me recroqueville sur la banquette arrière et je m'endors.

* * *

— Émerick, me souffle ma mère, nous sommes à destination.

Je constate bientôt que l'auto est stationnée juste devant le panneau indiquant la fin de la route 138. Nous prenons quelques photos avec le retardateur, pour nous poser tous ensemble.

— Ça nous fera un magnifique souvenir !

Nous marchons un peu dans le village.

— J'ai vu sur Internet qu'il y a une épave accessible par un sentier.

— Une épave ! fais-je, excité à l'idée de visiter celle d'un vaisseau pirate recelant des trésors de toutes sortes.

— Oui, celle du *Brion* : un grand cargo en provenance des Îles-de-la-Madeleine. Il a heurté un écueil avant de s'échouer.

— Il y a longtemps qu'il est là ?

— Depuis 1976. Ça fait longtemps, ajoute maman qui aime bien les petites précisions.

— Cela vous intéresse ? interroge mon père.

— Moi, j'espérais une épave datant du temps des galions. En la fouillant, j'aurais peut-être trouvé un sabre ou un mousqueton.

— Ce monsieur Teach t'a vraiment marqué !

— Une épave qui a à peine votre âge !

— Tu viens d'apprendre qu'elles ne sont pas toutes anciennes.

— Tu vois, Émerick, comme le dit souvent ta mère : tout peut être une occasion d'apprendre !

— On y va !

— C'est décidé, confirme maman.

Nous sommes à quelques centaines de mètres de l'épave lorsque soudain, le temps se couvre. De lourds nuages gris annoncent un grain. Le vent du large nous glace. Mes parents décident d'oublier la visite du *Brion*. Maman nous suggère de hâter le pas car l'orage est imminent.

— Dommage que le temps se soit gâté...

— Cela nous fournira un excellent prétexte pour revenir, conclut mon père dont l'optimisme est indéfectible. Nous en profiterons pour effectuer quelques lancers à la mouche dans la rivière Kegaska.

— On pourra initier maman !

— Merci pour moi ! Il y a tellement de livres intéressants que je n'ai pas encore lus et pour tout dire : deux mordus de pêche dans la famille, c'est bien assez !

À peine assis dans l'auto, utilisant le téléphone de maman, j'envoie un texto à mon meilleur ami. « Quittons Kegaska. Serons à Baie-Comeau tard ce soir. Hâte que nous nous racontions nos vacances. T'appelle demain ! »

Table des matières

Gilles Ruel

Originaire du Saguenay-Lac-Saint-Jean, Gilles Ruel habite la Côte-Nord depuis plus de trente ans. Après avoir reçu le Prix littéraire Abitibi-Consolidated du Salon du livre du Saguenay-Lac-Saint-Jean 2006 catégorie Jeunesse pour son premier roman, l'écriture est devenue l'une de ses principales occupations.

Gilles Ruel nous présente aujourd'hui son cinquième roman jeunesse, son troisième roman avec Phoenix. Doté d'une imagination débordante, il a su développer, au fil des mots, l'art de créer des histoires et des personnages qui, à coup sûr, captivent ses lecteurs et lectrices.

Jocelyne Bouchard

Originaire du Saguenay, Jocelyne Bouchard exerce ses talents d'illustratrice à Montréal depuis plus de vingt ans. Artiste aux multiples facettes, elle dessine et joue avec les couleurs comme une seconde nature. De ses racines, elle a gardé le goût pour la nature et les animaux. Elle en tire l'inspiration pour transmettre la beauté des paysages urbains qu'elle peint. Formée en Communication graphique à l'Université Laval et en Arts plastiques au CÉGEP de Jonquière, elle a travaillé comme illustratrice depuis 1986 auprès de nombreuses maisons d'édition et agences de publicité, au Québec en Ontario et aux États-Unis.

Achevé d'imprimer
en mars deux mille dix-sept, sur les presses
de l'imprimerie Gauvin, Gatineau, Québec